CLASSIC

✓ KU-668-446

Collection fondé

continuée par
LÉON LEJEALLE (1949 à 1968) et JEAN-POL CAPUT (1969 à 1972)
Agrégés des Lettres

7 - 50

MALLARMÉ

MALLARMÉ
ET
LE SYMBOLISME

avec une Notice biographique, une Notice historique
et littéraire, des Notes explicatives, des Jugements,
un Questionnaire et des Sujets de devoirs,

par

HENRY NICOLAS
Docteur de l'Université de Paris
Professeur au Collège Stanislas

LIBRAIRIE LAROUSSE
17, rue du Montparnasse, 75298 PARIS

RÉSUMÉ CHRONOLOGIQUE DE LA VIE DE MALLARMÉ

1842. — Naissance de Stéphane Mallarmé, à Paris, 12, rue Laferrière (2ᵉ arr.), le 18 mars.

1847. — Mort de sa mère, née Desmolins, à l'âge de vingt-neuf ans. L'enfant sera élevé par sa grand-mère.

1852. — Fin septembre, l'enfant entre comme interne dans une pension de Passy.

1856. — Pensionnaire au lycée de Sens.

1857. — Mort de sa jeune sœur, Maria, âgée de treize ans.

1858. — *Cantate pour la première communion* du lycée de Sens (éd. de la Pléiade, p. 3).

1859. — Poème de 214 vers, en deux parties : *Sa fosse est creusée!... Sa fosse est fermée!* En décembre, le lycéen acquiert les *Poésies complètes* de Th. Gautier.

1860. — Baccalauréat en novembre. Surnuméraire chez un receveur, à Sens.

1861. — Bouleversé par Baudelaire, découvert dans la seconde édition des *Fleurs du mal*. Emmanuel Des Essarts arrive à Sens pour faire la classe de seconde.

1862. — Nouvelle révélation : la poésie d'E. Poe. Le 10 janvier, Mallarmé publie son premier article dans *le Papillon*, petite revue. Peu après, son premier poème, *Placet*, paraît dans *le Papillon*. Premières lettres d'E. Lefébure et de H. Cazalis. — En juin, Stéphane remarque Maria Gerhard, jeune Allemande, son aînée de quatre ans. — 8 novembre, départ pour Londres avec Maria Gerhard, mais, en décembre, elle se sépare de lui par scrupule.

1863. — Le 12 avril, mort de Numa Mallarmé, père du poète. — Revenu en France, Mallarmé obtient, le 17 septembre, le certificat d'aptitude pour l'enseignement de l'anglais. Le 7 novembre, il est désigné comme suppléant et chargé de cours d'anglais au lycée de Tournon (Ardèche).

1864. — Correspondance suivie avec Lefébure et Cazalis. Année capitale : Mallarmé compose des poèmes en prose et en vers. Glatigny lui fournit l'occasion de publier, dans *la Semaine de Vichy*, ses premiers poèmes en prose. — En octobre, il commence *Hérodiade*. Le 19 novembre, naissance de sa fille Geneviève.

1865. — En juin, Mallarmé commence *le Faune*. Il va le porter en septembre à Paris à Th. de Banville et à Coquelin, qui se dérobent.

1866. — Publication chez Lemerre du fascicule de la première série du *Parnasse contemporain*, avec dix poèmes de Mallarmé. — A la rentrée des classes, Mallarmé, déplacé sur plaintes des parents d'élèves, va à Besançon. — Première lettre de Verlaine à Mallarmé; elle accompagne l'envoi des *Poèmes saturniens*.

1867. — Crise et maladie au printemps de 1867. « Je suis maintenant impersonnel. » — Le 6 octobre, nomination au lycée d'Avignon.

1869. — Pour vaincre son impuissance, il écrit *Igitur ou la Folie d'Elbehnon*.

1870. — Le 2 août, il reçoit chez lui Catulle Mendès et Villiers de L'Isle-Adam. Mallarmé leur lit *Igitur* : irritation de Mendès, enthousiasme de Villiers.

1871. — Les Mallarmé quittent Avignon pour Sens le 29 mai. — Naissance d'Anatole Mallarmé le 16 juillet. — Le 25 octobre, il est chargé de cours d'anglais au lycée Fontanes (Condorcet). — Brouille avec Lefébure et fin de leurs relations épistolaires. Publication de la 2ᵉ série du *Parnasse contemporain*, où se trouve *Hérodiade*.

1873. — Mallarmé devient l'ami intime du peintre Édouard Manet. Il écrit le sonnet *Quand l'aube menaça...* et le *Toast funèbre*, l'un des quatre-vingt-quatre envois de divers poètes qui composent *le Tombeau de Théophile Gautier*.

1874. — Envoi à Lemerre, pour la 3ᵉ série du *Parnasse contemporain*, de *l'Après-midi d'un faune*, remanié et transformé. Le jury le refuse. — Premier séjour à Valvins, près de Fontainebleau. — *La Dernière Mode*, revue féminine dont il écrit presque tout le texte sous divers pseudonymes, surtout celui de Marguerite de Ponty. — *Le Démon de l'analogie*, conservé dix ans inédit, est enfin publié dans le numéro de mars de la *Revue du Monde nouveau*.

1875. — Janvier : il abandonne la direction de *la Dernière Mode*. Il s'installe 87, rue de Rome (aujourd'hui 89). Il publie la traduction du *Corbeau*, de Poe, avec des illustrations de Manet. — Deux poèmes en prose, *Un spectacle interrompu*, qui doit dater de l'année même, et *le Phénomène futur*, qui date de 1864, sont publiés dans la *République des lettres*.

1876. — *L'Après-midi d'un faune*, églogue, par Stéphane Mallarmé, avec frontispice, fleurons et cul-de-lampe, chez Alphonse Derenne, Paris : sous couverture de feutre blanc du Japon, titre frappé en or; fermeture assurée par deux cordonnets de soie rose et noire. Édition originale tirée à 195 exemplaires. L'illustration est de Manet. — Celui-ci fait le portrait de Mallarmé. *Le Tombeau d'Edgar Poe.*

© *Librairie Larousse*, 1972.   ISBN 2-03-870081-8

1877. — Dans *la République des lettres* paraissent les dernières traductions des poèmes de Poe par Mallarmé. Celui-ci publie un livre scolaire : *Mots anglais.*

1879. — Le 6 octobre, mort d'Anatole, fils du poète, à l'âge de huit ans.

1880. — Publication des *Dieux antiques.* Début des « Mardis », avec des écrivains non symbolistes, sauf le jeune Gustave Kahn.

1881. — Publication de la traduction de *l'Etoile des fées,* chez G. Charpentier, Paris.

1882. — Huysmans fait part à Mallarmé de son intention d'écrire *A rebours.*

1883. — Dans la revue *Lutèce,* « berceau du Symbolisme » (numéro de novembre-décembre), Verlaine, dans *les Poètes maudits,* présente Mallarmé et son œuvre.

1884. — *Eventail de Mademoiselle Mallarmé.*

1885. — *Prose pour des Esseintes,* dans le numéro de janvier de *la Revue indépendante. Le vierge, le vivace...* et *Quelle soie aux baumes de temps...* dans le numéro de mars de la même revue. — Octobre : professeur au collège Rollin. — Lettre écrite de Coblence par Jules Laforgue à Mallarmé. — Le 16 novembre, lettre autobiographique de Mallarmé à Verlaine. — *Hommage,* sonnet en l'honneur de Richard Wagner, mort en 1883. — *Favourite Tales (les Contes favoris),* à l'usage des classes de 8e et de 9e, et des commençants.

1886. — *M'introduire dans ton histoire...,* sonnet publié dans *la Vogue* de juin. — Les jeunes poètes montent tous les mardis soir vers le 87 de la rue de Rome.

1887. — Dans le numéro de janvier de *la Revue indépendante,* trois sonnets (I. *Tout orgueil fume-t-il...* ; II. *Surgi de la croupe...* ; III. *Une dentelle s'abolit...*). — Octobre : publication des *Poésies,* édition de *la Revue indépendante,* tirée sur japon à 40 exemplaires, plus 7 exemplaires hors commerce. Prix élevé : 100 F. (Sont inédits *le Pitre châtié,* qui date de 1864, et *Ses purs ongles...,* qui date de 1868.) — *L'Après-midi d'un faune,* édité par *la Revue indépendante,* à 500 exemplaires. Autre édition de *l'Après-midi d'un faune,* chez Vanier. — Les *Poèmes d'Edgar Poe,* traduction de Stéphane Mallarmé, chez Deman, à Bruxelles.

1888. — Le 1er janvier, sonnet de nouvel an à Méry Laurent : *Méry, sans rop d'ardeur...* — Mallarmé, aidé de Vielé-Griffin, traduit le *Ten o'clock,* de Whistler, qui paraît dans *la Revue indépendante.* — Avril : rupture avec René Ghil. — 13-23 août, vacances en Auvergne, à Royat, avec le docteur Evans et Méry Laurent. *Album de vers et de prose,* à la Librairie nouvelle, à Bruxelles.

1889. — Les *Poèmes d'Edgar Poe,* traduction de Stéphane Mallarmé, chez Vanier.

1890. — Février : conférence à Bruxelles, Anvers, Gand, Liège, Bruges, sur Villiers de L'Isle-Adam. — Le 27 février, même conférence devant quelques amis, à Paris, chez Berthe Morisot.

1891. — Le 2 février, banquet à l'hôtel des Sociétés savantes, présidé par Mallarmé, en l'honneur de Moréas. — Enquête de Jules Huret sur *l'Evolution littéraire.* Visite de Paul Valéry à Mallarmé. — Nouveaux « mardistes » : P. Louÿs, P. Valéry, P. Claudel, A. Gide. — *Pages,* par Stéphane Mallarmé, chez Deman (Bruxelles), comprenant des poèmes en prose et divers articles.

1893. — *Vers et Prose,* avec un portrait de Mallarmé par Whistler (Librairie académique Perrin).

1894. — Le 6 janvier, Mallarmé admis à la retraite. Mars : conférences à Oxford et à Cambridge. — *Adresses ou les Loisirs de la poste,* dans *The Chap Book,* Chicago.

1895. — *Le Tombeau de Charles Baudelaire,* dans *la Plume,* le 15 janvier. *Variations sur un sujet* paraissent dans *la Revue blanche,* de février à novembre. — Le 25 mars, longue lettre de Claudel. — Avril : *A la nue accablante...,* sonnet publié dans la revue allemande *Pan. Toute l'âme résumée...,* dans *le Figaro* du 3 août.

1896. — Le 27 janvier, Mallarmé élu prince des poètes. — Le 1er mai, article d'éreintement publié contre Mallarmé par un ancien « mardiste », Adolphe Retté.

1897. — Le mardi 2 février, banquet Stéphane Mallarmé, organisé par quelques « mardistes ». Printemps à Valvins. Mallarmé reprend *Hérodiade.* — *Tombeau* (en l'honneur de Verlaine). — *Divagations,* à la bibliothèque Charpentier, Paris. Dans le numéro de mai de la revue internationale *Cosmopolis : Un coup de dés...*

1898. — Le 9 septembre, la mort surprend Mallarmé à Valvins.

Mallarmé avait quarante ans de moins que V. Hugo ; trente ans de moins que Leconte de Lisle ; vingt et un ans de moins que Baudelaire ; deux ans de moins que Villiers de Lisle Adam ; le même âge que F. Coppée et que J.-M. de Heredia, deux ans de plus que Verlaine ; douze ans de plus que Rimbaud ; dix-huit ans de plus que J. Laforgue ; vingt-neuf ans de plus que P. Valéry.

STÉPHANE MALLARMÉ ET SON TEMPS

	LA VIE ET L'ŒUVRE DE MALLARMÉ	LE MOUVEMENT INTELLECTUEL ET ARTISTIQUE	LES ÉVÉNEMENTS HISTORIQUES
1842	Naissance de Stéphane Mallarmé à Paris.	Aloysius Bertrand : Gaspard de la Nuit.	Protectorat français à Tahiti.
1860	Echec en juillet. Baccalauréat en novembre. Surnuméraire chez un receveur.	Berthelot : Chimie organique fondée sur la synthèse.	Cavour envahit les États de l'Église.
1862	En novembre, s'installe à Londres avec Maria Gerhard.	Flaubert : Salammbô. Manet : Lola de Valence.	Tentative de Garibaldi contre Rome.
1863	Décès de son père. Epouse à Londres Maria Gerhard. Obtient le certificat d'aptitude pour l'enseignement de l'anglais. Nommé au lycée de Tournon.	E. Fromentin : Dominique. E. Renan : Vie de Jésus. Manet : le Déjeuner sur l'herbe.	Progrès de l'opposition à l'Empire aux élections législatives. Guerre du Mexique.
1864	Poèmes baudelairiens en vers et en prose. En octobre, commence Hérodiade.	A. Thomas : Mignon. Baudelaire publie dans des journaux et des revues des Petits Poèmes en prose.	Fondation de l'Internationale. Convention de Genève : fondation de la Croix-Rouge internationale.
1865	En juin, abandonne Hérodiade et commence le Faune.	Les Goncourt : Germinie Lacerteux. Manet : Olympia. Carpeaux : Flore.	Entrevue de Biarritz entre Napoléon III et Bismarck.
1866	Se remet à Hérodiade. En octobre, est nommé au lycée de Besançon.	Premier Parnasse contemporain. Dostoïevski : Crime et châtiment.	Victoire des Prussiens sur les Autrichiens à Sadova.
1867	Nommé au lycée d'Avignon.	Mort de Baudelaire. E. Zola : Thérèse Raquin. Karl Marx : le Capital.	Garibaldi envahit les États pontificaux. Envoi de troupes françaises.
1871	29 mai : les Mallarmé quittent Avignon. Naissance d'Anatole. Chargé de cours au lycée Fontanes (Condorcet).	Rimbaud accueilli par Verlaine. Publication de la scène d'Hérodiade dans le deuxième Parnasse contemporain.	Traité de Francfort entre l'Allemagne et la France. Inauguration du tunnel du Mont-Cenis.
1873	Devient l'ami de Manet. Toast funèbre pour le Tombeau de Th. Gautier.	Rimbaud : Une saison en enfer. Tristan Corbière : les Amours jaunes.	Les troupes allemandes évacuent la France. Mac-Mahon, président.
1874	L'Après-midi d'un faune refusé pour le troisième Parnasse contemporain. Premier séjour à Valvins.	Verlaine : Romances sans paroles. Barbey d'Aurevilly : les Diaboliques. Moussorgski : Boris Godounov.	Chute de Gladstone. Ministère Disreali. Factory Act limitant la durée du travail.
1876	Mallarmé publie en édition de luxe l'Après-midi d'un faune.	Victor Hugo, sénateur. A. Dumas fils : l'Etrangère. A. France : les Noces corinthiennes.	Victoire des républicains aux élections en France. Victoria proclamée impératrice des Indes.

	Mallarmé	Lettres et arts	Histoire
1879	Mort d'Anatole Mallarmé.	P. Loti : *Azyadé*. Ibsen : *Maison de poupée*.	Démission de Mac-Mahon. Election de Jules Grévy. En Allemagne, fin du Kulturkampf.
1880	Publication des *Dieux antiques*. Début des « Mardis ».	Tennyson : *Ballades*. Rodin : *le Penseur*. Renoir : *De la loge*.	Institution de l'enseignement primaire obligatoire.
1884	Nommé au lycée Janson-de-Sailly. La publication en volume des *Poètes maudits* et surtout le succès du roman *A rebours* de J.-K. Huysmans attirent l'attention sur lui.	Leconte de Lisle : *Poèmes tragiques*. A. Daudet : *Sapho*. Massenet : *Manon*. C. Franck : *Variations symphoniques*.	Loi sur les syndicats ouvriers. Conférence internationale de Berlin : création de l'État indépendant du Congo.
1885	Professeur au collège Rollin. Lettre autobiographique à Verlaine.	Mort de V. Hugo. Apparition d'une nouvelle génération de poètes hostiles au Parnasse. Becque : *la Parisienne*.	Pasteur inocule pour la première fois le vaccin contre la rage.
1886	Mallarmé écrit l'*Avant-dire* du *Traité du Verbe* de René Ghil.	Verlaine fait paraître les *Illuminations*, de Rimbaud. Manifeste de Moréas dans le supplément du *Figaro*.	Boulanger, ministre de la Guerre.
1887	Premier rassemblement de ses *Poésies* dans la *Revue indépendante*.	R. Ghil : *le Geste ingénu*. Vielé-Griffin : *les Cygnes*. G. Kahn : *les Palais nomades*. Mort de J. Laforgue.	Scandale Wilson. Démission de Grévy.
1888	Rupture avec R. Ghil. Amitié d'O. Mirbeau.	Barrès : *Sous l'œil des Barbares*. Th. Ribot : *Psychologie de l'attention*.	Inauguration de l'Institut Pasteur. Guillaume II succède à Guillaume Ier.
1890	Conférences sur Villiers de L'Isle-Adam en Belgique. Première lettre de P. Valéry.	P. Claudel : *Tête d'or*. Zola : *la Bête humaine*. Premier fascicule du *Mercure de France*.	Première manifestation du 1er mai.
1891	2 février : banquet Moréas présidé par Mallarmé.	Enquête littéraire de Jules Huret. Cl. Monet : *les Nymphéas*.	Grèves et incidents de Fourmies.
1894	6 janvier : admis à la retraite. En mars, conférences à Oxford et à Cambridge.	A. Mockel : *Propos de littérature*. Cl. Debussy : *Prélude à l'après-midi d'un faune*.	Assassinat de Sadi-Carnot. Premier procès Dreyfus.
1896	27 février : élu prince des poètes.	P. Valéry : *la Soirée avec M. Teste* dans la revue le *Centaure*.	Marconi réalise la première liaison de T. S. F. Premiers jeux Olympiques.
1898	Meurt le 9 septembre à Valvins.	E. Rostand : *Cyrano de Bergerac*. P. et M. Curie découvrent le radium.	Affaire Dreyfus; pamphlet de Zola : *J'accuse*.

STÉPHANE MALLARMÉ

INTRODUCTION

La personnalité de Mallarmé. — Les œuvres de beaucoup de poètes pourraient tomber dans l'oubli sans que le patrimoine spirituel de l'humanité s'en trouvât diminué. Celles de Mallarmé, non. Cet homme fut l'un des rares explorateurs de la Pensée qui, à la fin du siècle dernier, se vouèrent, dans différents domaines, à la recherche de nouveaux rapports entre l'homme et l'univers. Aventurier solitaire, il préféra travailler chaque jour sans espoir de récompense plutôt que d'imiter Victor Hugo[1] ou Baudelaire. Cela lui eût été pourtant facile et il eût tiré de son talent d'imitateur des avantages immédiats. Les poèmes composés par lui de 1861 à 1864 sont presque tous des pastiches des *Fleurs du mal* qui plurent au jury chargé d'admettre les poèmes envoyés pour le premier *Parnasse contemporain* (1866) : il accueillit les 10 pièces signées par le jeune poète : *les Fenêtres, les Fleurs, le Sonneur, Vere Novo* (plus tard *Renouveau*), *A celle qui est tranquille* (plus tard *Angoisse*), *Épilogue* (plus tard *Las de l'amer repos...*) *l'Azur, Brise marine, Soupir, A un pauvre* (plus tard *Aumône*). A vingt-quatre ans, Mallarmé, qui avait l'âge de Heredia et de Coppée, était en passe de devenir célèbre s'il continuait à donner au public du faux Baudelaire.

Non seulement il vécut dans une médiocrité apparente, mais encore il fut raillé, honni, persécuté. Lorsqu'il envoya, en 1874, *l'Après-midi d'un faune* pour le troisième *Parnasse*, il essuya un refus. « On se moquerait de nous », écrivit Anatole France, l'un des trois membres du jury. Reconnaissons que ses contemporains eurent quelque excuse. Rarement écrivain se présente aux hommes de son temps sous un jour plus défavorable. De plus, lecteurs et critiques littéraires ne pouvaient juger de sa valeur que sur quelques pièces. Les poèmes qu'il avait envoyés aux petites revues d'avant-garde, ou les plaquettes de luxe à tirage très limité qu'il avait éditées, étaient devenus introuvables. L'un de ceux qui devinrent le plus célèbres fut, hélas ! celui qu'il eût eu intérêt à laisser momentanément inédit : *Prose pour Des Esseintes*, le poème le plus difficile de toute l'œuvre mallarméenne. Il attira particulièrement les sarcasmes des feuilletonistes, à cause des prénoms, Anastase et Pulchérie, portés par ses deux héros allégoriques. Si Mallarmé s'était disculpé de certaines accusations, il aurait gagné à sa cause

---

1. Un de ses poèmes de jeunesse, *Sa fosse est creusée !... Sa fosse est fermée*, rappelle *A Villequier*.

un public plus important, mais il ne lui déplaisait pas de s'entourer de mystère.

Il ne se décida à préparer une édition d'un prix abordable que peu de temps avant sa mort. Ce n'est également que durant les dernières années de sa vie qu'il présenta une sorte de poétique qui le justifiait amplement de toutes les accusations portées contre lui. Elle fut publiée sous la forme d'une série d'articles donnés par *la Revue blanche* en 1895. Il faisait une distinction très nette entre les deux emplois principaux du langage : celui de la vie pratique et celui de l'art[1]. Mais encore de quel ton parlait-il à ses adversaires : « Je préfère, devant l'agression, rétorquer que des contemporains ne savent pas lire — sinon dans le journal... » Seuls, les fidèles des mardis de la rue de Rome purent se dire, en l'écoutant parler, qu'ils avaient le rare privilège de connaître intimement un homme de génie. De 1884 à 1898, tous les mardis soir, Mallarmé reçut de 9 heures à minuit, dans la salle à manger de son petit appartement de la rue de Rome, une douzaine de jeunes poètes symbolistes : Gustave Kahn, Georges Rodenbach, Saint-Pol Roux, Charles Morice, René Ghil, Ferdinand Hérold, André Fontainas, Henri de Régnier, Francis Vielé-Griffin, Albert Mockel, Adolphe Retté. A partir de 1890, de nouveaux admirateurs, de quelques années plus jeunes, Pierre Louÿs, André Gide, Paul Valéry, vinrent remplacer ceux qui s'étaient séparés du Maître, René Ghil, Adolphe Retté. De l'aveu de tous, il fut un causeur merveilleux. La distinction du geste, la beauté de la voix, la diction, le regard magnifique, les hautes pensées et cette attitude presque dévote des auditeurs, tout contribuait à rendre ces soirées prestigieuses. Debout contre la cheminée d'angle, il parlait seul, dans la fumée du tabac. Son auditoire l'écoutait sans oser l'interrompre. Malheureusement, personne ne songea à prendre par écrit, au moment même où elle jaillissait, cette parole éloquente. Mallarmé n'éprouvait plus alors la moindre inhibition, lui qui se sentait paralysé devant la page blanche. « Nul n'a parlé comme lui », dirent plus tard tous ceux qui avaient eu la chance de faire partie de son petit auditoire. Ces conversations n'étaient pas des improvisations brillantes. Avant de développer ses grands thèmes, Mallarmé avait médité longtemps dans sa petite chambre silencieuse durant les longues nuits où le sommeil le fuyait. Il avoua un jour, à la fin de sa vie, ne pas avoir dormi depuis vingt ans.

L'œuvre de Mallarmé. — La situation a bien changé depuis une trentaine d'années. Nous connaissons aujourd'hui des poèmes qui étaient restés inédits. Nous avons surtout, pour nous éclai-

---

1. « Au contraire d'une fonction de numéraire facile et représentatif, comme le traite d'abord la foule, le dire, avant tout, rêve et chant, retrouve chez le poète, par nécessité constitutive d'un art consacré aux fictions, sa virtualité. » (*Crise de vers*, éd. de la Pléiade, p. 368).

rer, les lettres dans lesquelles Mallarmé s'analyse pour ses correspondants, amis intimes, avec beaucoup de franchise et de lucidité[1]. Nous sommes donc maintenant à même de comprendre son œuvre et de mesurer la place qu'elle occupe dans la littérature.

Plus nous la connaissons, plus elle nous étonne. Vraiment, tant par son contenu, qui présente un phénomène d'expansion constante, que par son étendue, qui présente un phénomène inverse de rétraction, elle présente un cas unique dans la littérature. Mallarmé pensa dix fois plus qu'il ne parla. Il parla dix fois plus qu'il n'écrivit en prose[2]. Il écrivit en prose dix fois plus qu'il ne composa en vers ou en prose poétique[3], et ce n'est qu'à son œuvre poétique, si courte pour une carrière littéraire si longue — 38 ans! — qu'il doit sa gloire, une gloire qui s'est faite d'ailleurs malgré lui, car il avait rêvé de l'obtenir autrement. Une œuvre poétique d'environ 1 500 vers, dont 1 100 seulement furent publiés par leur auteur, c'était sans doute encore trop pour un poète qui désirait emprisonner l'univers dans une sorte de formule poétique, comme plus tard Einstein essaya de le résumer dans une formule mathématique. A la fin de sa vie, il ne croyait dignes de passer à la postérité que les 250 vers de son *Hérodiade* inachevée, « l'œuvre mince et absconse » dont parle Valéry[4].

L'évolution même de la production poétique de Mallarmé est significative. Le débit ne cessa de baisser. Au premier style que le jeune poète adopte, le style baudelairien (1861-1864), correspond une période que l'on peut dire assez féconde si l'on ne compare le Mallarmé d'alors qu'à celui qu'il deviendra. En trois ans, il compose plus des deux cinquièmes de ses vers, et, durant la dernière année de cette période, il écrit sept de ses poèmes en prose sur treize.

A la fin de l'année 1864, il décide de se « débaudelairiser » et d'adopter un style dit d'incantation, qui peindra non la chose

---

1. Le plus grand nombre des lettres de jeunesse adressées à Emmanuel Des Essarts, à Henri Cazalis, à Théodore Aubanel a été publié (cf. Bibliographie). Mais la plupart des lettres adressées à Eugène Lefébure, de 1862 à 1871, ne furent jamais retrouvées ; 2. Cette prose, réunie par Henri Mondor et G. Jean-Aubry dans le volume de la Pléiade, y représente 1 100 pages. On y trouve ses articles et ses conférences qui permettent de comprendre la poétique mallarméenne ; des traductions d'auteurs anglais, surtout d'Edgar Poe ; des articles pour la revue féminine *la Dernière Mode ;* enfin, ses ouvrages pédagogiques, les *Mots anglais* (1877) et les *Thèmes anglais*, qui étaient restés inédits ; 3. Dans le volume de la Pléiade, il n'y a que 60 pages de vers et 30 de poèmes en prose. D'autres vers ont été recueillis dans ce volume : poésies pieuses datant des années scolaires (1858-1859) et petits vers de circonstance ; quatrains composés sur des enveloppes et réunis sous le titre *les Loisirs de la poste ;* quatrains ou distiques ornant de menus cadeaux (éventails, photographies, œufs de Pâques, galets de Honfleur, cruches de Calvados). Mallarmé les appelait lui-même des « versiculets ». Leur intérêt est de révéler par leur préciosité et par leur gentillesse le côté féminin du caractère de Mallarmé, que l'on peut déceler jusque dans la grande poésie ; 4. « A propos de Degas » (N. R. F., 1er mars 1938).

mais l'effet qu'elle produit. En quatre ans, il n'écrit qu'un fragment d'*Hérodiade* et l'*Après-midi d'un faune*. L'effort énorme qu'il fournit l'amène à une crise qui aurait pu être fatale. La confidence de cette crise est faite par Mallarmé dans une lettre qu'il écrit de Besançon le 14 mai 1867 à son ami Cazalis : « Je viens de passer une année effrayante ; ma Pensée s'est pensée et est arrivée à une Conception Divine. Tout ce que, par contre-coup, mon être a souffert pendant cette longue agonie est inénarrable, mais heureusement je suis parfaitement mort, et la région la plus impure où un esprit puisse s'aventurer est l'Éternité ; mon Esprit, ce solitaire habituel de sa propre pureté, que n'obscurcit plus même le reflet du Temps [...]. Je suis maintenant impersonnel, et non plus Stéphane que tu as connu, — mais une aptitude qu'a l'Univers spirituel à se voir et à se développer, à travers ce qui fut moi. »

Il se ressaisit et fait le point dans un conte intitulé *Igitur ou la Folie d'Elbehnon*[1]. Sa production poétique devient très faible, s'arrête même pendant des années. Pour les quinze années qui vont de 1868 à 1883, on ne connaît de Mallarmé que quatre poèmes, le *Sonnet en yx*, *Toast funèbre*, le *Tombeau d'Edgar Poe* et *Sur les bois oubliés*[2]... En 1884, *A rebours*, le roman de J.-K. Huysmans, attire de nouveau l'attention sur Mallarmé, qui était presque complètement oublié. A quarante-deux ans, l'auteur d'*Hérodiade* revient à la vie littéraire, comme un jeune débutant, mais sa production se maintient à une moyenne de 20 vers par an ; elle se répartit ainsi : en 1892, 1896, 1898, rien ; en 1883, 1886, 1891, 1893, 1897, un sonnet par an ; en 1884, 1890, deux pièces de vers par an ; en 1895, trois sonnets ; en 1894, quatre sonnets ; en 1887, sept sonnets. A partir de 1885, la génération des poètes symbolistes de vingt ans publie chez Vanier, chez Bailly, chez Tress et Stock, au *Mercure de France*, des dizaines de volumes de vers. Certains, comme Henri de Régnier et son ami Francis Vielé-Griffin, en font paraître un presque chaque année.

Peu de temps avant de mourir, Mallarmé reprit *Hérodiade*, qu'il voulait terminer[3]. Il pensait que l'heure de l'œuvre absolue était enfin arrivée. Il n'avait composé des vers, depuis trente ans, que pour garder en quelque sorte la main. Dans l'édition Deman, qu'il préparait au moment de sa mort, édition d'un prix abordable

---

1. Trouvé, après la mort du poète, dans ses brouillons inédits, il fut publié en 1925 par son gendre, le docteur Bonniot ; **2.** On sait, depuis 1961, qu'il commença après la mort de son fils Anatole (1879) un poème qu'il n'eut pas le courage de terminer. « Hugo, écrit-il à H. Roujon, est heureux d'avoir pu parler, moi cela m'est impossible » ; **3.** Il écrit à sa femme et à sa fille, le 11 mai 1898 : « Je me suis sournoisement mis tout à l'heure à *Hérodiade* avec espoir... » Ce passage de lettre est à rapprocher d'un autre passage de lettre écrite à Cazalis trente-quatre ans auparavant : « ... Me voici résolument à l'œuvre. J'ai enfin commencé mon *Hérodiade*. Avec terreur, car j'invente une langue qui doit nécessairement jaillir d'une poétique très nouvelle, que je pourrais définir en ces deux mots : peindre non la chose mais l'effet qu'elle produit... » Trente-quatre ans ! L'âge de sa fille Geneviève !

où ses poèmes déjà parus dans la coûteuse édition photolithographique de 1887, tirée à 47 exemplaires, se trouvaient réunis à 15 pièces inédites, il présentait ainsi son œuvre : « Beaucoup de ces poèmes, ou études en vue de mieux, comme on essaie les becs de sa plume avant de se mettre à l'œuvre, ont été distraits de leur carton par les impatiences amies de Revues en quête de leur numéro d'apparition : et première note de projets, en points de repère, qui fixent, trop rares ou trop nombreux, selon le point de vue double que lui-même partage l'auteur, il les conserve en raison de ceci que la jeunesse voulut bien en tenir compte et autour un public se former. »

Il espérait alors avoir encore dix ans devant lui pour écrire le poème un, hiérarchisé, structuré, qui allait marquer une victoire sur le hasard. Mais cet homme de santé fragile avait trop longtemps profité de ce même hasard. La mort vint au moment où celui qui avait souvent pensé à elle vivait dans une certaine quiétude. Cela ressembla à un meurtre : l'infortuné poète fut pris à la gorge comme par une main invisible qui l'étrangla. Au printemps de 1898, il s'était réfugié dans sa petite maison de Valvins, près de Fontainebleau, pour travailler sans être dérangé. Sa femme et sa fille le rejoignirent au début de septembre. Le 8, dans l'après-midi, il étouffa et crut qu'il allait mourir; mais la crise passa. Durant la nuit suivante, il écrivit ce que le professeur Mondor appelle « son testament de pauvre ». Ceux qui connaissent bien sa vie peuvent y sentir un désarroi qui fait mal. « Il n'y a pas là, écrivait-il en parlant de ses petits papiers, d'héritage littéraire, mes pauvres enfants [...]. Croyez que ce devait être très beau. » Le lendemain matin, le médecin, mandé, arrive. Mallarmé veut lui expliquer en présence de sa femme et de sa fille comment s'est produite la première crise. Le spasme du larynx le reprend et le tue en quelques instants, devant ces trois témoins affolés et désespérés de ne pouvoir rien faire.

Toutes les pensées qu'il n'avait pas encore mises en forme moururent avec lui. Ses petits papiers, sur lesquels il avait griffonné quelques mots et qu'il avait accumulés pendant trente ans dans d'anciennes boîtes de thé, furent brûlés conformément à ses dernières volontés, car personne d'autre que lui n'aurait su les utiliser[1]. Sa parole, qui avait failli enfanter une nouvelle religion, conservait encore quelque vie dans la mémoire de ses disciples. Ces modernes évangélistes crurent, au lendemain de sa mort, qu'ils allaient pouvoir perpétuer les plus beaux soliloques des mardis

---

1. On a cru longtemps que les dernières volontés du poète avaient été intégralement respectées. Certains petits papiers ont été conservés au lieu d'être brûlés et publiés. Malgré leur état de notes cursives, ils ont contribué à faire avancer la critique dans l'analyse et la psychanalyse de la poétique de Mallarmé. En 1957, Jacques Scherer a publié les notes qui devaient composer le *Livre*, et, en 1961, Jean-Pierre Richard, celles qu'il a intitulées *Pour un « Tombeau d'Anatole »*. (Cf. Bibliographie, ci-après.)

anciens, mais, dès qu'ils prirent la plume, ils ne purent retrouver ni le rythme ni l'accent de cette parole enchanteresse, et, découragés, abandonnèrent leur projet. Seuls, *Hérodiade*, inachevée, *l'Après-midi d'un faune* et le millier de vers que, dans son excessive exigence, son auteur appelait « études en vue de mieux » allaient paraître à Bruxelles, chez Deman, six mois après la mort du poète et signaler le « désastre[1] » aux générations futures, comme des épaves flottant sur l'abîme indiquent le lieu d'un naufrage[2].

La poétique de Mallarmé. — Le regret que nous éprouvons à penser à l'œuvre qu'un tel poète eût pu créer s'il avait vécu plus longtemps ne peut nous empêcher de regarder sa fin comme la conclusion naturelle de sa destinée. Ce « manque » du livre rêvé pendant trente ans par son futur auteur semble seul digne de couronner comme un fronton de l'absence le temple des sonnets négatifs et des tombeaux que Mallarmé conçut selon une poétique de l'anéantissement et de la résurrection de la réalité dont nous nous proposons maintenant d'étudier les raisons et les modalités.

Avant Mallarmé, un poète doit s'exprimer d'une façon directement intelligible pour tout lecteur. Sur ce point les romantiques sont bien d'accord avec les classiques. Ils font des confidences très claires. Quant aux Parnassiens, s'ils détestent de jouer le rôle de « montreurs », ils ressemblent à des artisans ciseleurs ou sculpteurs qui travaillent dans une échoppe ouverte sur la rue. Mallarmé renie les uns et les autres. Contre la poésie sentimentale, il le dit dans une lettre à Cazalis, écrite le 4 décembre 1862 : « Des farceurs de poètes qui allaient dîner grassement ont abîmé toutes les phrases douloureuses en les fourrant dans leurs complaintes. » A un inconnu qui demande devant lui à Dierx : « Mais vous ne pleurez donc pas en vers ? » Mallarmé répond, avant même que l'interpellé n'ait trouvé une réplique : « Ni ne me mouche ». D'autre part, à l'égard de la beauté formelle et plastique, il manifeste très tôt une grande défiance, puisqu'on trouve cette réflexion dans son premier article (1862) : « ... un certain amour du beau vers, la pire des choses ».

Mallarmé dépasse bientôt cette attitude négative afin de retrouver l'« enthousiaste innéité de la jeunesse ». Pour pouvoir « se percevoir simple, infiniment sur la terre », il transforme ses recherches poétiques en appareil de torture personnelle et, durant

---

1. Ce mot « désastre » est l'un des mots clefs de la langue mallarméenne. On le trouve dans *les Fleurs*, dans *Toast funèbre*, dans *le Tombeau d'Edgar Poe*; **2.** Autre mot clef que l'on trouve déjà dans *Brise marine*, poème composé en 1865 : « Sont-ils de ceux qu'un vent penche sur les naufrages... » Ce mot est répété comme un leitmotiv dans l'ébauche IV de la « Sortie de la chambre » (*Igitur*). C'est le thème du sonnet *A la nue accablante...* C'est, comme une sorte de prémonition, le thème du dernier poème en prose, écrit en 1897, à disposition typographique figurant un vaisseau qui sombre, *Un coup de dés jamais n'abolira le hasard.*

de longues insomnies, il se fait l'iconoclaste de sa propre image. « La Destruction fut ma Béatrice », confiera-t-il plus tard (*Correspondance*, p. 246). Après avoir tout « aboli », le poète se ressuscite, pour s'anéantir de nouveau. Ce va-et-vient dure jusqu'à la fin de sa vie, parce que le conflit du « je » et du « non-je », de l'absolu et du contingent ne peut jamais être arrêté par la victoire définitive de l'une des antinomies. Seule la mort peut mettre fin à ce mouvement oscillatoire. L'un des auditeurs des « Mardis », Camille Mauclair, fait tenir à Camille Armel, héros de son roman *le Soleil des morts* (1898), des propos qui ressemblent à des réminiscences de la parole du Maître : « La discontinuité du monde me saisit » (p. 93), « L'unité de pensée et la discontinuité des phénomènes, voilà les deux principes qui soutiennent tout ma philosophie, toute ma littérature et toute ma vie personnelle » (p. 96).

La forme des poèmes conçus par un tel poète est une sorte de réplique de l'écheveau des correspondances et de la lutte entre la Pensée et le Hasard. Structure complexe, plans superposés, clivage des mots, irradiation de certains thèmes, tout cela contribue dans un texte de Mallarmé à représenter le poète « ayant lieu » dans sa chambre et dans le cosmos. Les premiers lecteurs de Mallarmé avouèrent humblement leur inaptitude à le comprendre. Le public crut pouvoir reprendre l'avantage sur un auteur qui lui en imposait, lorsque parut la *Prose pour Des Esseintes* (1884). Les réactions allèrent de la plaisanterie à l'insulte. Quelques exégètes ne tardèrent pas à proposer des élucidations. Ces hommes intelligents, formés aux disciplines classiques, s'attaquèrent à l'explication de Mallarmé avec la méthode qu'ils auraient pu employer pour traduire un texte de Pindare ou de Perse. Aucun texte difficile ne devait leur résister. Ils mettaient leur point d'honneur à le comprendre. Pour eux, c'était une question de mise en mot à mot et de choix du sens exact dans un dictionnaire très complet, Littré par exemple. Les résultats de ces recherches isolées sur les mêmes textes ayant été confrontés firent apparaître des divergences. Parmi toutes les interprétations, aucune ne s'imposait. Après un demi-siècle de recherches faites à partir du texte, les études sur Mallarmé ont pris un tour nouveau, depuis que des critiques formés à d'autres disciplines (psychologie, psychanalyse) se sont intéressés à l'étude des thèmes poétiques chez Mallarmé et ont fait des rapprochements très instructifs entre les poèmes en vers et les œuvres en prose (poèmes, articles de *la Dernière Mode*, de *la Revue indépendante* et de *la Revue blanche*, *Mots anglais*, *Contes indiens*, enfin brouillons du *Tombeau d'Anatole* (publiés en 1962). Voici l'opinion d'un des plus récents commentateurs de Mallarmé : « Avec nous le sens semblera donc jouer à cache-cache, il sera à la fois ici et là, partout et nulle part... Rien de plus glissant que ces poèmes dont le sens semble se modifier d'une lecture à l'autre et qui n'installent jamais en nous la rassurante certitude de les avoir vraiment, définitivement saisis. Mais cette variabilité du sens doit justement être reconnue comme la signification véritable du poème. Pour lire de tels poèmes, Valéry nous le répétera, il n'est point de chemin obligatoire, ni même de perspective privilégiée. Toutes les perspectives sont également fructueuses, et l'essentiel restera donc de les multiplier. » (Jean-Pierre Richard, *l'Univers imaginaire de Mallarmé*, p. 553.)

Un autre critique de la nouvelle école, Georges Poulet, propose au lecteur une attitude analogue : « Chaque poème de Mallarmé, dit-il, est agencé pour être finalement lu sans arrêt par un même coup d'œil et une seule opération de la pensée » (*la Distance intérieure*, p. 350).

Lorsqu'on a compris d'abord Mallarmé par le centre, c'est-à-dire par ses thèmes essentiels, il n'est pas interdit de tenter une étude des textes, semblable à celle que firent les premiers exégètes, ne serait-ce que pour découvrir les causes de leur ambiguïté. « *Nue*, par exemple, signifiera aussi bien dénudée que nuage[...] La syntaxe pourra servir aussi à faire pivoter le sens : selon la construction choisie — et il existe souvent chez Mallarmé diverses constructions possibles —, le mot changera radicalement d'attitude et de valeur. » (J.-P. Richard, *op. cit.*, p. 554.)

L'expérience poétique de Mallarmé représente un cas unique dans la littérature. De jeunes poètes sont venus, à partir de 1885, à ces cours du mardi soir qui leur firent faire, selon le mot de l'un d'eux, une sorte de rhétorique supérieure, mais le Maître n'eut pas de véritables disciples. Il ne fit pas école. Valéry lui-même, qui fut l'un de ses meilleurs fils spirituels, ne lui ressemble pas. Cependant, tous les poètes lui doivent beaucoup, parce qu'il sut délimiter exactement le domaine de la poésie. Celle-ci risquait de mourir d'un excès d'esthétique formelle si les Parnassiens avaient gardé l'initiative de son évolution. Il contribua avec quelques autres grands poètes à créer la notion de poésie pure. Il voulut y faire participer le symbolisme du silence et de l'espace purs en mettant en valeur le symbolisme même de la page, des dispositions typographiques, du livre fermé : « Appuyer, selon la page, au blanc, qui l'inaugure son ingénuité, à soi, oublieux même du titre qui parlerait trop haut : et, quand s'aligna, dans une brisure, la moindre, disséminée, le hasard vaincu mot par mot, indéfectiblement le blanc revient, tout à l'heure gratuit, certain maintenant, pour conclure que rien au-delà et authentiquer le silence[1]. »

Mallarmé mourut, alors qu'il espérait vivre encore la dizaine d'années nécessaires pour l'achèvement du « Livre », resté à l'état de petites feuilles griffonnées que Jacques Scherer a publiées en 1957. Cette disparition n'a pas eu pour son œuvre les conséquences graves que Mallarmé redoutait. C'est même à cause de son état inachevé que l'œuvre mallarméenne garde encore une si

---

1. *Le Mystère dans les lettres* (éd. de la Pléiade, p. 387).

grande puissance de suggestion. Elle demeure une source intaris-
sable de pensée pour ceux de ses lecteurs qui en ont compris
l'alternance infinie de déploiement et de repliement. Elle se prête
également à des transfigurations idéales, car, selon une belle
remarque de J.-P. Richard, l'œuvre de l'auteur d'*Hérodiade* doit
« se lire en même temps à l'indicatif et au conditionnel. Il faut
voir en elle comme cela est beau, mais aussi, pour reprendre la
si juste parole testamentaire de Mallarmé, comme cela devait
être très beau. »

BIBLIOGRAPHIE

I. ŒUVRES DE MALLARMÉ.

On peut trouver les textes de Mallarmé dans les éditions suivantes :

Poésies complètes contenant plusieurs inédits (Paris, Gallimard,
1945).

Poésies complètes (Paris, Bibliothèque de Cluny, 1948).

Divagations (rééd. Paris, Fasquelle, 1949).

Œuvres complètes, texte établi et annoté par H. Mondor et G. Jean-
Aubry. Bibliothèque de la Pléiade (Paris, Gallimard, 1945).

Depuis quelques années des textes inédits sauvés de la destruction par le feu demandée par Mallarmé ont été publiés dans :

Mallarmé lycéen, par H. Mondor (Gallimard, 1954).

Le « Livre » de Mallarmé, par J. Scherer (Gallimard, 1957).

Correspondance (1862-1897), publié par Gallimard (1959-1983).

Pour un « tombeau d'Anatole », par J.-P. Richard (Le Seuil, 1962).

II. EXÉGÈSE DE L'ŒUVRE DE MALLARMÉ.

Albert THIBAUDET, *la Poésie de S. Mallarmé* (Paris, N. R. F.
Rééd. de l'éd. de 1912).

Emilie NOULET, *Dix Poèmes. Exégèses* (Genève, Droz, 1948).

Charles MAURON, *le « Coup de dés »* (*les Lettres*, numéro spécial,
1948).

Gardner DAVIES, *les Tombeaux de Mallarmé. Essai d'exégèse raisonnée* (Paris, Corti, 1950). — *Mallarmé et le Drame solaire* (Paris,
Corti, 1959). — *Mallarmé et le Rêve d'Hérodiade* (Paris, Corti,
1978).

Henri MONDOR, *Autres Précisions sur Mallarmé et inédits* (Paris,
Gallimard, 1961).

Julia KRISTEVA, *la Révolution du langage poétique. L'avant-garde à
la fin du XIXe siècle : Lautréamont et Mallarmé* (Paris, Seuil,
1974).

III. Biographie. Esthétique. Pensée.

Albert Mockel, *Stéphane Mallarmé. Un héros* (Paris, Mercure de France, 1899).

Gustave Kahn, *Stéphane Mallarmé* (Paris, Vanier, 1902).

Paul Claudel, *la Catastrophe d' « Igitur »* (Paris, N. R. F., 1er nov. 1926).

Paul Valéry, *Variété II*, p. 161 à 202 (Paris, N. R. F., 1929). — *Divers Écrits sur Stéphane Mallarmé* (Paris, Gallimard, 1951).

Emilie Noulet, *l'Œuvre poétique de Stéphane Mallarmé* (Genève, Droz, 1940).

Henri Mondor, *Vie de Mallarmé* (Paris, Gallimard, 1941-1942).

Jacques Schérer, *l'Expression littéraire dans l'œuvre de Mallarmé* (Genève, Droz, 1947).

Mallarmé. Documents iconographiques, avec une préface et des notes de H. Mondor (Genève, P. Cailler, 1947).

Marcel Raymond, *De Baudelaire au surréalisme* (Paris, Corti, 1947).

Georges Poulet, *Etudes sur le temps humain*, t. II. *La Distance intérieure*, ch. IX, « Mallarmé » (Plon, 1952).

Maurice Blanchot, *l'Espace littéraire* (Gallimard, 1955).

Stéphane Mallarmé. Court métrage. Réalisateur, J. Lods. Opérateur, P. Fabian. Musique d'Y. Baudrier. Texte de P. Emmanuel, avec le concours d'H. Mondor. Édité en 35 mm et en 16 mm. Diplôme spécial au Festival de Bergame, 1960 (Société de Films d'Art et de Culture, Pathé Overseas).

Jean-Pierre Richard, *l'Univers imaginaire de Mallarmé* (Paris, Le Seuil, 1962).

Charles Mauron, *Mallarmé par lui-même* (Paris, Seuil, 1964).

Claude Abastado, *Expérience et Théorie de la création poétique chez Mallarmé* (Paris, Lettres Modernes, 1970).

Revue Europe, *Mallarmé* (E. F. R., 1976).

Robert Giroux, *le Désir de synthèse chez Mallarmé* (Naaman, Sherbrooke, 1979).

IV. Sur le symbolisme (idées et histoire du mouvement).

Jules Huret, *Enquête sur l'Evolution littéraire* (Paris, Charpentier, 1891).

Ernest Reynaud, *la Mêlée symboliste* (3 vol., Paris, Renaissance du livre, 1918-1922).

André Fontainas, *Mes souvenirs du Symbolisme* (Paris, Nouvelle Revue Critique, 1925).

Rolland de Renéville, *l'Expérience poétique* (Paris, N. R. F., 1938).

Henry Clouard, *Histoire de la littérature française, du Symbolisme à nos jours* (2 vol., Paris, Albin Michel, 1947-1948).

Antoine Orliac, *la Cathédrale symboliste* (Paris, Mercure de France, 1948).

Guy Michaud, *Message du Symbolisme* (Paris, Nizet, 1948).

Michel Decaudin, *la Crise des valeurs symbolistes* (Toulouse, Privat, 1960).

Mallarmé assis sous son portrait par Édouard Manet reproduit page 18, près de la cheminée de la salle à manger où il reçoit chaque mardi les jeunes poètes.

MALLARMÉ
ET LE SYMBOLISME

LES ANNÉES BAUDELAIRIENNES
(1861-1864)

A Sens, dès le succès au baccalauréat, Mallarmé, jeune surnuméraire âgé de dix-neuf ans, se met en effervescence littéraire,
en mal de publications ; à Londres, errant avec Maria Gerhard,
couple étrange, lui, vingt ans, elle, vingt-quatre, puis seul, quand
elle le quitte par scrupule ; à vingt et un ans, professeur d'anglais
à Tournon (Ardèche) : activité douloureuse[1], début du conflit entre
les ambitions littéraires et les lourdes contraintes professionnelles.

RENOUVEAU

Le premier titre était *Vere Novo*. Faut-il voir dans ce premier
choix un hommage discret à Hugo (*Vere Novo* sert de titre à un
poème des *Contemplations*) ou une réminiscence involontaire des
lectures du lycéen, déjà dépassé ? Ce sonnet fut associé à un autre,
Tristesse d'été, sous le titre commun de *Soleils mauvais*, quand le
poète envoya en 1866, au premier *Parnasse contemporain*, dix
de ses poèmes baudelairiens. Composé à Sens, en mai 1862, il
sert de témoignage biographique et littéraire. L'auteur l'a commenté
lui-même à son tout nouvel ami, Henri Cazalis, dans une lettre
datée du 4 juin 1862 : « C'est un genre assez nouveau que cette

---

1. Le poète était troublé par les difficultés croissantes qu'il rencontrait
lorsqu'il faisait des vers. Dans la lettre qui accompagne l'envoi de *l'Azur*
à Cazalis, il avoue ceci à son ami : « Je l'ai travaillé ces derniers jours, et je ne
te cacherai pas qu'il m'a donné infiniment de mal, outre qu'avant de prendre
la plume il fallait, pour conquérir un moment de lucidité parfaite, terrasser
ma navrante impuissance [...]. Je te jure qu'il n'y a pas un mot qui ne m'ait
coûté plusieurs heures de recherche. »

poésie où les effets matériels du sang, des nerfs sont analysés et mêlés aux effets moraux, de l'esprit, de l'âme. » Dans la même lettre, il ajoute cette confidence : « Emmanuel t'avait peut-être parlé d'une stérilité curieuse que le printemps avait installée en moi. Après trois mois d'impuissance, je m'en suis enfin débarrassé et mon premier sonnet est consacré à la décrire, c'est-à-dire à la maudire. » Cet Emmanuel est un jeune professeur du lycée de Sens, Emmanuel Des Essarts, poète lui aussi, qui est devenu le confident de Mallarmé. La sincérité de cet aveu ne saurait être mise en doute. Le sonnet n'est pas un simple prétexte à développement d'un thème baudelairien ; cependant, l'auteur n'a-t-il pas, malgré lui, subi l'influence d'un livre trop aimé et trop lu ? N'a-t-il pas pastiché sans le vouloir ? C'est ce qu'éprouve à la lecture de *Vere Novo* et du *Sonneur* un autre nouvel ami de Mallarmé, Eugène Lefébure, qui lui écrit : « Et Baudelaire, s'il rajeunissait, pourrait signer vos sonnets. »

« Ce sonnet, dit Mme Emilie Noulet (*l'Œuvre poétique de Mallarmé*, p. 54), est le poème du son *an*. Il le parcourt comme un gémissement du corps geignant, à intervalles égaux et à des plans symétriques, d'abord en rectangle dans la première strophe, en triangle dans la seconde, à la commande du vers dans la troisième, pour se multiplier en désarroi vers la fin du poème. »

Le printemps maladif a chassé tristement
L'hiver, saison de l'art serein, l'hiver lucide,
Et, dans mon être à qui le sang morne préside
L'impuissance s'étire en un long bâillement[1].

5 Des crépuscules blancs tiédissent sous mon crâne
Qu'un cercle de fer serre ainsi qu'un vieux tombeau
Et triste, j'erre après un rêve[2] vague et beau,
Par les champs où la sève immense se pavane[3].

---

1. Sans doute réminiscence du poème liminaire des *Fleurs du mal* [Au lecteur] : « Et dans un bâillement avalerait le monde. » Même procédé d'allégorie : chez Baudelaire, l'ennui, ici l'impuissance; **2.** Plus tard, Mallarmé emploiera *rêve* au sens de *vue transcendante* du Cosmos. On trouve rassemblés dans ce sonnet un bon nombre de mots clefs de la langue mallarméenne : *rêve, art, morne, impuissance, vague, immense* (qui annonce le regard hyperbolique posé sur les fleurs dans la *Prose pour Des Esseintes*, cf. p. 56), *las, ennui, Azur* ; **3.** Réminiscence des *Fleurs du mal* : « Ta tête se pavane avec d'étranges grâces » *(le Beau Navire)*.

Puis je tombe énervé de parfums d'arbres, las,
10 Et creusant de ma face une fosse à mon rêve,
Mordant la terre chaude où poussent les lilas,

J'attends[1], en m'abîmant[2] que mon ennui[3] s'élève...
— Cependant l'Azur[4] rit sur la haie et l'éveil
De tant[5] d'oiseaux en fleur gazouillant au soleil. (1)

(Éditions Gallimard.)

1. Attitude caractéristique. Mallarmé attendit pendant toute sa vie. Son héroïne Hérodiade s'écrie, après le départ de la vieille nourrice : « J'attends une chose inconnue... »; 2. Sens fort, étymologique : en m'enfonçant dans l'abîme; 3. Également sens fort, étymologique : chagrin mêlé de haine; 4. Mallarmé, comme son modèle Baudelaire, use de la majuscule pour les mots auxquels il prête une valeur transcendante. Nous avons ici le germe du poème *l'Azur* (cf. p. 24); 5. On trouve *tant* dans l'état définitif du texte fixé en 1887 dans l'édition photolithographiée des *Poésies* de Mallarmé, publiée par *la Revue indépendante*. Mallarmé avait d'abord écrit : « Sur la haie en éveil Où les oiseaux en fleurs gazouillent au soleil. » Correction supprimant la cacophonie *haie en* et ajoutant deux sons *an* au dernier vers.

—————— QUESTIONS ——————

1. L'ennui du poète est-il plus physiologique que moral ?

— L'impression produite par le printemps n'est-elle pas fonction des dispositions du poète ?

— En quoi, cependant, la tristesse attribuée au printemps diffère-t-elle de la tristesse attribuée par les romantiques à l'automne ? L'opposition entre le sujet et l'objet, entre le poète et la nature, est-elle aussi forte ? Qui l'emporte sur l'autre, le sujet ou l'objet ?

— Comparez l'ennui de Mallarmé au spleen de Baudelaire.

— Dans le premier état du sonnet, il y a (v. 3) *plombé* au lieu de *morne*. La correction est-elle heureuse ?

— Valeur d'*immense* (v. 8) et de *m'abîmant* (v. 12).

— Étudiez la répartition des *a* nasalisés et leur effet.

— Valeur de *cependant* (v. 13) : temporel ? oppositif ? les deux ? Les rapports logiques se confondent-ils chez Mallarmé avec les rapports chronologiques ? Qu'est-ce que le temps et l'espace pour lui ?

— La gaieté de l'Azur est-elle une consolation ou un supplément d'irritation ?

— A quel heure le poète se promène-t-il dans les champs ? Quels mots fixent cette heure ?

— Les effets baudelairiens sont-ils nombreux dans ce sonnet ?

— Importance du « moi » dans ce poème. Est-elle contrebalancée par d'autres éléments poétiques ?

APPARITION

Apparition est la moins baudelairienne des poésies composées par Mallarmé durant cette courte période de deux ans où le jeune poète subit l'influence trop tyrannique des *Fleurs du mal*. C'est que ce poème est une des rares œuvres de commande composées par Mallarmé. Sans doute, le souvenir de l'apparition de Maria Gerhard dans une rue de Sens, lors des premières rencontres de cette jeune Allemande avec le poète, n'a pas été sans influence sur le ton de l'œuvre. Cependant, c'est une autre jeune fille, fiancée de son ami Cazalis, que Mallarmé a chantée, en prêtant à son ami son talent apte au madrigal aussi bien qu'au poème baudelairien. Depuis longtemps, Cazalis importunait Mallarmé pour obtenir de lui une poésie célébrant celle dont il était fortement épris. « Un jour, Stéphane, que Marie par un baiser t'aura mis dans l'âme des souffles d'Allemagne, ou qu'en passant près d'un jardin, tu auras longtemps regardé un lys, ou qu'une voix d'enfant t'aura ému à force de douceur et de pureté, fais ce portrait que je te demande. » (Lettre de Cazalis, datée du 14 juin 1863.) Mallarmé dut composer ce poème quelques semaines plus tard, alors qu'il était à Londres, ce qui expliquerait la ressemblance de cette apparition avec un personnage préraphaélite à la manière de Burne-Jones, dont Mallarmé a pu voir alors des tableaux dans un musée de Londres.

A cause du caractère sentimental de cette œuvre qui n'aurait pas été avec celui de ses autres poèmes, Mallarmé ne comprit pas *Apparition* dans son envoi au premier *Parnasse contemporain*, en 1866. Il attendit vingt ans pour la confier à Verlaine, qui la fit paraître dans le numéro de novembre 1883 de la revue *Lutèce*, puis, l'année suivante, dans le livre des *Poètes maudits*.

La lune s'attristait. Des séraphins en pleurs
Rêvant l'archet aux doigts[1], dans le calme des fleurs
Vaporeuses, tiraient de mourantes violes
De blancs sanglots glissant sur l'azur des corolles.
5 C'était le jour béni de ton premier baiser.
Ma songerie, aimant à me martyriser,
S'enivrait savamment du parfum de tristesse
Que même sans regret et sans déboire laisse
La cueillaison d'un Rêve au cœur qui l'a cueilli.
10 J'errais donc, l'œil rivé sur le pavé vieilli,
Quand, avec du soleil aux cheveux, dans la rue
Et dans le soir, tu m'es en riant apparue,
Et j'ai cru voir la fée au chapeau de clarté

---

1. Tableau préraphaélite.

Qui jadis sur mes beaux sommeils d'enfant gâté
15 Passait, laissant toujours de ses mains mal fermées
Neiger de blancs bouquets d'étoiles parfumées[1]. (2)

(Éditions Gallimard.)

L'AZUR

L'Azur a été composé à Tournon en janvier 1864 et publié dans le premier *Parnasse contemporain* en 1866. Ce poème est l'un des plus célèbres de l'œuvre mallarméenne. C'est le conflit entre le ciel, symbole de l'absolu, et le malheureux voué à l'impuissance mais assoiffé d'absolu. Celui-ci essaie de triompher en proclamant : « Le ciel est mort ! » mais le ciel mort revient à la faveur d'une métamorphose et chante dans les cloches bleues. L'impuissant veut fuir mais finit par s'avouer vaincu. Emmanuel Des Essarts, à qui l'auteur avait envoyé ces vers, ainsi qu'à ses autres amis, Lefébure et Cazalis, les lut un soir d'avril 1864 à Baudelaire et

---

1. Les correspondances sensorielles se multiplient : le rire (sensation auditive) évoque une pluie d'étoiles blanches (sensation visuelle) accompagnée d'émanation de parfums (sensation olfactive).

QUESTIONS

2. Composition du poème *Apparition*.
— Les effets de contraste entre les deux parties. Relevez les mots (adjectifs, substantifs, verbes) qui soulignent ce contraste.
— Valeur du mot *sanglots* (v. 4). Dans quel poème célèbre d'un autre symboliste, relatif à une autre saison, chère à la fois aux romantiques et aux symbolistes, trouve-t-on le mot *sanglots* ? Les deux passages peuvent-ils s'éclairer l'un par l'autre ?
— Valeur de *savamment* (v. 7). Dans quel sonnet célèbre le poète emploiera-t-il de nouveau cet adverbe de nombreuses années plus tard ?
— Pourquoi une majuscule à *Rêve* (v. 9) ? Comparez la valeur de ce mot à son emploi dans le poème précédent, où il est sans majuscule.
— Quels mots permettent de fixer l'heure de cette apparition ?
— D'après ce qu'on connaît de l'enfance du poète, *enfant gâté*, peut-il faire allusion à celle-ci, à moins qu'il ne s'agisse de ses premières années ? Alors, qui serait la fée ?
— Étudiez la correspondance d'*étoiles parfumées* (v. 16). Peut-on rêver de parfums ?
— Valeur des rejets.
— Dans *Apparition* ne sent-on pas l'influence du préraphaélisme ?

fit part de cette grande nouvelle à Mallarmé dans une lettre du
7 avril 1864. « Baudelaire, écrivait-il, les a écoutés sans désappro-
bation, ce qui est un grand signe de faveur. S'il ne les avait pas
aimés, il les aurait interrompus. »

De l'éternel azur[1] la sereine ironie
Accable, belle indolemment comme les fleurs[2],
Le poëte impuissant qui maudit son génie
A travers un désert stérile de Douleurs.

5 Fuyant, les yeux fermés, je le sens qui regarde
Avec l'intensité d'un remords atterrant,
Mon âme vide. Où fuir ? Et quelle nuit hagarde
Jeter[3], lambeaux, jeter sur ce mépris navrant ?

Brouillards, montez ! Versez vos cendres monotones
10 Avec de longs haillons de brume dans les cieux
Qui noiera le marais livide des automnes
Et bâtissez un grand plafond silencieux !

Et toi, sors des étangs léthéens[4] et ramasse
En t'en venant la vase et les pâles roseaux,
15 Cher Ennui, pour boucher d'une main jamais lasse
Les grands trous bleus que font méchamment les oiseaux.

---

1. La minuscule, pour assurer une gradation dans ce poème dont le ton ne
cesse de monter et atteint finalement le paroxysme, avec la majuscule à *Azur*,
clamé quatre fois ; **2.** Le poète travaillait peut-être alors au poème des *Fleurs*,
qu'il termina en mars 1864 ; **3.** Valeur particulièrement expressive de ce rejet,
dans un poème où abondent les rejets ; **4.** *Léthéens :* qui procurent l'oubli.
(Le Léthé est, dans la mythologie antique, le fleuve des Enfers qui donne
l'oubli.) Adjectif déjà employé par Mallarmé dans la traduction du poème de
Poe, *Ulalume*, qu'il avait faite dès 1863.

QUESTIONS

3. Le thème de *l'Azur* est-il en germe dans *Renouveau* (p. 20) ?
— Composition du poème.
— L'accumulation des épithètes n'est-elle pas exagérée dans
le premier quatrain ? Si l'on vous demandait de n'en garder qu'une,
laquelle choisiriez-vous ?
— L'épithète de *hagarde* (v. 7) convient-elle ? A quel procédé
de la poésie antique, lequel rapprocherait le symbolisme de cette
poésie, correspond cette alliance ?
— Quel est *le marais livide des automnes* (v. 11) ?
— L'épithète de *cher* (v. 15) n'a-t-elle pas une valeur ironique ?
— *Attifer* (v. 27) n'est-il pas péjoratif ? Remords de plagiaire ?

Encor ! que sans répit les tristes cheminées
Fument[1], et que de suie une errante prison
Eteigne dans l'horreur de ses noires traînées
20 Le Soleil se mourant jaunâtre à l'horizon !

— Le Ciel est mort. — Vers toi, j'accours ! donne,
L'oubli de l'Idéal cruel et du Péché   [ô matière,
A ce martyr qui vient partager la litière
Où le bétail heureux des hommes est couché[2],

25 Car j'y veux, puisque enfin ma cervelle, vidée
Comme le pot de fard gisant au pied d'un mur,
N'a plus l'art d'attifer la sanglotante idée,
Lugubrement bâiller vers un trépas obscur...

En vain ! l'Azur triomphe, et je l'entends qui chante
30 Dans les cloches. Mon âme, il se fait voix pour plus
Nous faire peur avec sa victoire méchante,
Et du métal vivant sort en bleus angélus !

Il roule par la brume, ancien et traverse
Ta native agonie ainsi qu'un glaive sûr ;
35 Où fuir dans la révolte inutile et perverse ?
Je suis hanté. L'Azur ! l'Azur ! l'Azur ! l'Azur ! **(3)**

(Éditions Gallimard.)

---

1. Les brouillards, les fumées, souvenirs londoniens. Cf. le poème en prose *la Pipe*, p. 26 ; 2. Sorte d'abrutissement, analogue au suicide, auquel aspire alors le poète et que l'on retrouve souhaité dans un poème, *Angoisse*, datant de ce même hiver 1863-1864 à Tournon : « Je demande à ton lit le lourd sommeil sans songes. » Cf. Baudelaire, *Femmes damnées* : « Comme un bétail pensif sur le sable couchées... »

——— QUESTIONS ———

— *Obscur* (v. 28) a-t-il une double valeur ?
— *Les cloches* (v. 30) rappellent-elles l'enfance pieuse ?
— Correspondance entre les sensations visuelles et les sensations auditives. Y a-t-il synesthésie ou rapprochement ?
— Valeur et prononciation de *plus* (v. 30).
— Trouvez l'ordre grammatical des mots pour le vers 32.
— *Native* (v. 34) est un mot chargé de sens. Définissez-le.
— Étudiez dans les deux dernières strophes le dialogue intérieur. Nuances marquées par *mon âme* (v. 30), *nous* (v. 31), *Je (suis hanté)* [v. 36].
— La quadruple répétition (v. 36) n'est-elle que du remplissage ?

LA PIPE

Durant les années 1862, 1863, 1864 le poète compose également dans le genre baudelairien les poèmes en vers *le Guignon, le Pitre châtié, les Fenêtres, Angoisse, Las de l'amer repos...*, *le Sonneur, Tristesse d'été, Soupir, Aumône* qui paraîtront dans le premier *Parnasse contemporain* avec *Vere Novo, Apparition, l'Azur*.

Vers la fin de cette période, au printemps de 1864, à Tournon, le poète aborde le genre du poème en prose, dont son maître a pu lui offrir quelques modèles dans le numéro de novembre 1861 de *la Revue fantaisiste*, connue du jeune poète, puisqu'il essaya d'y faire paraître des articles. Voici *la Pipe*, le premier des sept poèmes en prose composés en l'espace de quelques mois par Mallarmé, qui souffrait pourtant d'une lassitude invincible. Comme chez Baudelaire, on peut grouper deux à deux les poèmes en prose et les poèmes en vers. C'est tantôt le poème en prose, tantôt le poème en vers qui est le premier en date. *La Pipe* évoque le Londres des jours de solitude, après le départ de Maria, ainsi que les traversées de la Manche que l'absence, puis le retour de Maria provoquèrent. Le poème commence comme une préfiguration de Proust, avec la résurrection du passé provoquée par la perception d'une odeur qui le ramène à la surface de la conscience.

Hier, j'ai trouvé ma pipe en rêvant une longue soirée de travail, de beau travail d'hiver[1]. Jetées les cigarettes avec toutes les joies enfantines de l'été dans le passé qu'illuminent les feuilles bleues de soleil, les mousselines et reprise ma grave pipe par un homme sérieux qui veut fumer longtemps sans se déranger, afin de mieux travailler ; mais je ne m'attendais pas à la surprise que préparait cette délaissée, à peine[2] eus-je tiré la première bouffée, j'oubliai mes grands livres à faire, émerveillé, attendri, je respirai l'hiver dernier qui revenait[3]. Je n'avais pas touché à la fidèle amie depuis ma rentrée en France, et tout Londres, Londres tel que je le vécus en entier à moi seul, il y a un an, est apparu[4] ; d'abord les chers brouillards[5] qui emmi-

---

1. Cf. poème *Renouveau*, p. 20 : « L'hiver, saison de l'art serein, l'hiver lucide ; » **2.** Ponctuation personnelle à Mallarmé. On attendrait un point avant *à peine* ; **3.** Des impressions ensevelies dans l'oubli, mais liées à une sensation, resurgissent à la surface de la conscience si la sensation est de nouveau éprouvée ; **4.** Style journalistique. Le poème en prose est fondé sur la vie moderne. Au début d'un autre poème en prose, *Un spectacle interrompu*, Mallarmé s'étonne « qu'une association entre les rêveurs, y séjournant, n'existe pas, dans toute grande ville, pour subvenir à un journal qui remarque les événements sous le jour propre au rêve » ; **5.** Cf. le poème *l'Azur*, p. 24 : « Brouillards, montez ! ».

touflent nos cervelles et ont, là-bas, une odeur à eux,
quand ils pénètrent sous la croisée. Mon tabac sentait
une chambre sombre[1] aux meubles de cuir saupoudrés
par la poussière du charbon sur lesquels se roulait le maigre
chat noir; les grands Feux! et la bonne aux bras rouges
versant les charbons, et le bruit de ces charbons tombant
du seau de tôle dans la corbeille de fer, le matin — alors
que le facteur frappait le double coup solennel, qui me
faisait vivre[2]! J'ai revu[3] par les fenêtres ces arbres malades
du square désert — j'ai vu le large, si souvent traversé
cet hiver-là, grelottant sur le pont du steamer mouillé de
bruine et noirci de fumée — avec ma pauvre bien-aimée
errante, en habits de voyageuse, une longue robe terne
couleur de la poussière des routes, un manteau qui collait
humide à ses épaules froides, un de ces chapeaux de paille
sans plume et presque sans rubans, que les riches dames
jettent en arrivant, tant ils sont déchiquetés par l'air de
la mer et que les pauvres bien-aimées regarnissent pour
bien des saisons encore. Autour de son cou s'enroulait
le terrible mouchoir[4] qu'on agite en se disant adieu pour
toujours. (**4**)

(Éditions Gallimard.)

---

1. Correspondance entre une sensation olfactive et une image visuelle;
2. Le jeune exilé attendait une lettre de Maria Gerhard, qui était retournée
pendant quelques mois vivre en France; **3.** Le mécanisme de la mémoire,
s'étant déclenché sous l'effet d'une sensation olfactive, fonctionne seul maintenant par association d'images visuelles; **4.** Cf. *Brise marine*, p. 34 : « ...l'adieu
suprême des mouchoirs! »

QUESTIONS

4. Plan du poème.
— Rôle d'un souvenir olfactif dans la résurrection du passé.
Quel romancier utilisera ce procédé?
— Dans quel poème retrouve-t-on *les chers brouillards?* Dans
quel autre poème retrouve-t-on *le terrible mouchoir?*
— De quel autre poète le chat est-il l'animal favori?
— Développez la tournure synthétique : *mon tabac sentait
une chambre sombre.*
— Pourquoi le poète attend-il le facteur?
— Quels détails révèlent l'extrême sensibilité de Mallarmé et
ce don de s'apitoyer sur les siens et sur lui-même?

PLAINTE D'AUTOMNE

Plainte d'automne date du même mois que *la Pipe* (avril 1864). Ce poème en prose naît également d'un souvenir de Londres. Le 14 novembre 1862, Mallarmé, fraîchement débarqué en Angleterre, écrit à son ami Cazalis : « Je n'entends pas un chat (nous dormons dans Coventry Street)... En revanche, c'est le rendez-vous de tous les orgues de Barbarie. » Mais surprenons le procédé du poète. Il transporte la scène à Sens six ans auparavant, peu après la mort de sa jeune sœur Maria, et associe au souvenir poignant de la jeune morte la musique nostalgique de l'orgue de Barbarie. Ce poème en prose, intitulé d'abord *l'Orgue de Barbarie*, fut publié trois mois après sa création (hâte rare dans la vie du poète), dans *la Semaine de Cusset et de Vichy*, revue dirigée en cette année 1864 par le poète Albert Glatigny, ami de Mallarmé.

Depuis que Maria[1] m'a quitté pour aller dans une autre étoile — laquelle, Orion, Altaïr, et toi, verte Vénus ? — j'ai toujours chéri la solitude. Que de longues journées j'ai passées seul avec mon chat ! Par seul, j'entends sans un être matériel et mon chat est un compagnon mystique, un esprit. Je puis donc dire que j'ai passé de longues journées seul avec mon chat et, seul, avec un des derniers auteurs de la décadence latine[2] ; car depuis que la blanche créature n'est plus, étrangement et singulièrement j'ai aimé tout ce qui se résumait en ce mot : chute. Ainsi, dans l'année, ma saison favorite, ce sont les derniers jours alanguis de l'été, qui précèdent immédiatement l'automne et, dans la journée, l'heure où je me promène est quand le soleil se repose avant de s'évanouir, avec des rayons de cuivre jaune sur les murs gris et de cuivre rouge sur les carreaux[3]. De même la littérature à laquelle mon esprit demande une volupté sera la poésie agonisante des derniers moments de Rome, tant, cependant, qu'elle ne respire aucunement l'approche rajeunissante des Barbares et ne bégaie point le latin enfantin des premières proses[4] chrétiennes.

---

1. Marie Mallarmé, jeune sœur du poète, morte à l'âge de treize ans en 1857 ; **2.** L'origine de ce goût de Mallarmé peut être découverte dans une note ajoutée par Baudelaire, dans la première édition des *Fleurs du mal*, à *Franciscae meae laudes* (*Fleurs du mal*, Ed. Crépet-Blin, p. 402) ; **3.** Cf. le poème *les Fenêtres* : « pour voir du soleil sur les pierres ... les tièdes carreaux d'or ... quand le soir saigne parmi les tuiles » ; **4.** *Prose* est précisée par l'épithète *chrétienne* et désigne une hymne liturgique composée en petits vers latins syllabiques qui riment ensemble.

Je lisais donc un de ces chers poëmes (dont les plaques de fard ont plus de charme sur moi que l'incarnat de la jeunesse) et plongeais une main dans la fourrure du pur animal, quand un orgue de Barbarie chanta languissamment et mélancoliquement sous ma fenêtre. Il jouait dans la grande allée des peupliers dont les feuilles me paraissent mornes même au printemps, depuis que Maria a passé là avec des cierges, une dernière fois. L'instrument des tristes, oui, vraiment : le piano scintille, le violon donne aux fibres déchirées la lumière, mais l'orgue de Barbarie, dans le crépuscule du souvenir[1], m'a fait désespérément rêver. Maintenant qu'il murmurait un air joyeusement vulgaire et qui mit la gaîté au cœur des faubourgs, un air suranné[2], banal : d'où vient que sa ritournelle m'allait à l'âme et me faisait pleurer comme une ballade romantique ? Je la savourai lentement et je ne lançai pas un sou par la fenêtre de peur de me déranger et de m'apercevoir que l'instrument ne chantait pas seul. **(5)**

(Éditions Gallimard.)

1. Baudelaire, puis à sa suite son jeune disciple, et, vingt ans plus tard, les poètes symbolistes renversent le mouvement habituel de l'homme par rapport à la nature : l'homme est projeté hors de lui-même, c'est l'état d'âme qui est la nature, c'est le souvenir qui est crépuscule ; 2. Cf. Baudelaire, *Recueillement* : « ... en robes surannées ».

─────── **QUESTIONS** ───────

5. Composition du poème.

— Quelle différence pouvez-vous noter entre les confidences d'un romantique et celles d'un symboliste ?

— Quel roman procède sans doute de *Plainte d'automne ?*

— Ce poème n'explique-t-il pas ce que représentait la décadence pour les symbolistes ? Le public l'entendait-il ainsi ?

— Comment justifier l'épithète de *verte* attribuée à Vénus !

— Mallarmé n'a-t-il pas souffert toute sa vie de l'obsession de certains deuils ? Cette sensibilité si vive n'explique-t-elle pas l'attitude que prit le poète dans *Toast funèbre* et dans les *Tombeaux*, ainsi que sa poétique de l'absence, du néant ?

— Comment pouvaient se concilier chez Mallarmé des goûts aristocratiques avec cette réceptivité à l'égard d'une musique des faubourgs ? Est-ce que cela ne prouve pas que l'aristocratie de Mallarmé est d'un autre ordre que celle des gens du monde ?

— Cette sensibilité à l'égard de la musique n'annonce-t-elle pas un rapprochement entre poètes, musiciens et même peintres ?

SYMPHONIE LITTÉRAIRE

Symphonie littéraire est une longue étude composée en ce mois
d'avril 1864 si fécond en poèmes en prose (*la Pipe, Plainte
d'automne*, p. 28) par Mallarmé sur ses poètes préférés : Théophile
Gautier, Charles Baudelaire, Théodore de Banville. Ces pages
se présentent comme une suite de poèmes en prose. Avant d'adopter comme titre *Symphonie littéraire*, l'auteur avait pensé à celui-ci :
Trois Poèmes en prose. L'œuvre parut un an plus tard, dans le
numéro de *l'Artiste* du 1er février 1865. Ce document vaut surtout comme instrument d'investigation et prouve que, pour éclairer
l'œuvre en vers de Mallarmé, rien n'égale l'étude attentive de ses
poèmes en prose. La période d'imitation baudelairienne tirant à
sa fin, les éloges sonnent comme des adieux. Bientôt, le poète
n'admettra plus comme maître que Poe et comme source d'inspiration que son propre génie.

I

Muse moderne de l'Impuissance, qui m'interdis, depuis
longtemps le trésor familier des rhythmes[1], et me condamnes
(aimable supplice) à ne faire plus que relire, — jusqu'au
jour où tu m'auras enveloppé dans ton irrémédiable filet,
l'ennui[2], et tout sera fini alors, — les maîtres inaccessibles[3]
dont la beauté me désespère ; mon ennemie, et cependant
mon enchanteresse aux breuvages perfides et aux mélan-
coliques ivresses, je te dédie, comme une raillerie ou, —
le sais-je ? — comme un gage d'amour, ces quelques lignes
de ma vie écrites dans les heures clémentes où tu ne m'ins-
piras pas la haine de la création et le stérile amour du
néant. Tu y découvriras les jouissances d'une âme purement passive qui n'est que femme encore, et qui demain
peut-être sera bête.

C'est une de ces matinées exceptionnelles où mon esprit,
miraculeusement lavé des pâles crépuscules de la vie quotidienne, s'éveille dans le Paradis, trop imprégné d'immor-
talité pour chercher une jouissance, mais regardant autour
de soi avec une candeur qui semble n'avoir jamais connu

---

1. Orthographe ancienne conservée ici seulement ; plus loin, le mot aura
l'orthographe simplifiée en usage aujourd'hui ; 2. En ce printemps de 1864, le
jeune poète éprouve les mêmes troubles qu'au printemps de 1862. (Cf. *Renouveau*, p. 20.) Ces phénomènes augmenteront et aboutiront en 1867 à la dange-
reuse crise de Besançon ; 3. Complément de *relire*. La phrase de Mallarmé
s'ouvre déjà, les distorsions deviennent de plus en plus larges.

l'exil. Tout ce qui m'environne a désiré revêtir ma pureté ; le ciel lui-même ne me contredit pas, et son azur, sans un nuage depuis longtemps, a encore perdu l'ironie[1] de sa beauté, qui s'étend au loin adorablement bleue. Heure précise, et dont je dois prolonger l'état de grâce avec d'autant moins de négligence que je sombre chaque jour en un plus cruel ennui. Dans ce but, âme trop puissamment liée à la Bêtise terrestre, pour me maintenir par une rêverie personnelle à la hauteur d'un charme[2] que je payerais volontiers de toutes les années de ma vie, j'ai recours à l'Art, et je lis les vers de Théophile Gautier aux pieds de la Vénus éternelle.

Bientôt une insensible transfiguration s'opère en moi, et la sensation de légèreté se fond peu à peu en une de perfection[3]. Tout mon être spirituel, — le trésor profond des correspondances, l'accord intime des couleurs, le souvenir du rythme antérieur, et la science mystérieuse du Verbe, — est requis, et tout entier s'émeut, sous l'action de la rare poésie que j'invoque, avec un ensemble d'une si merveilleuse justesse que de ses jeux combinés résulte la seule lucidité[4].

Maintenant qu'écrire[5] ? Qu'écrire, puisque je n'ai pas voulu l'ivresse, qui m'apparaît grossière et comme une injure à ma béatitude ? (Qu'on s'en souvienne, je ne jouis pas[6], mais je vis dans la beauté.) Je ne saurais même louer ma lecture salvatrice, bien qu'à la vérité un grand hymne sorte de cet aveu, que sans elle j'eusse été incapable de garder un instant l'harmonie surnaturelle où je m'attarde :

---

1. Cf. *l'Azur*, p. 24 : « De l'éternel azur la sereine ironie... » ; **2.** *Charme*, sens étymologique de *carmen*, formule magique, enchantement. Ce mot mallarméen sera choisi plus tard par Valéry comme titre de son recueil de poésies *Charmes* (1922) ; **3.** Sorte d'état mystique. Parlant de ces deux premières années de Tournon, Mallarmé dit plus tard : « C'est là que j'ai rêvé ma vie entière. » Il ne retrouvera plus cet état, mais s'y référera et en rendra témoignage dans la *Prose pour Des Esseintes* (cf. p. 56) ; **4.** En nous indiquant comment il lit, Mallarmé nous apprend en même temps comment nous devons lire ses poèmes. Il ne faut pas en faire le mot à mot, après les avoir « construits » en français selon l'ordre grammatical et logique, ou du moins, si l'on fait cette construction, il faut ensuite la dépasser et chercher la « lucidité » en requérant *tout son être spirituel*, pour saisir les jeux combinés d'où résulte la seule lucidité ; **5.** L'auteur est arrivé à un moment critique. Six mois plus tard, s'étant libéré de l'emprise de Baudelaire, il crée une nouvelle poétique et repart, mais c'est pour connaître d'autres affres ; **6.** Le poète ne doit pas se préférer à son œuvre. Il ne doit pas faire de la jouissance poétique le but de sa vie ; sinon, dans l'œuvre elle-même, il ne saurait plus s'effacer.

et quel autre adjuvant terrestre, violemment par le choc du contraste ou par une excitation étrangère, ne détruirait pas un ineffable équilibre par lequel je me perds en la divinité ? Donc je n'ai plus qu'à me taire, — non que je me plaise dans une extase voisine de la passivité, mais parce que la voix humaine est ici une erreur[1], comme le lac, sous l'immobile azur que ne tache pas même la blanche lune des matins d'été, se contente de la refléter avec une muette admiration que troublerait brutalement un murmure de ravissement.

II

L'hiver, quand ma torpeur me lasse, je me plonge avec délices dans les chères pages des *Fleurs du mal*. Mon Baudelaire à peine ouvert, je suis attiré dans un paysage surprenant qui vit[2] au regard avec l'intensité de ceux que crée le profond opium. Là-haut, et à l'horizon, un ciel livide d'ennui, avec les déchirures bleues qu'a faites la Prière proscrite[3]. Sur ma route, seule végétation, souffrent de rares arbres dont l'écorce douloureuse est un enchevêtrement de nerfs dénudés : leur croissance *visible* est accompagnée sans fin, malgré l'étrange immobilité de l'air, d'une plainte déchirante comme celle des violons, qui, parvenue à l'extrémité des branches, frissonne en feuilles musicales. Arrivé, je vois de mornes bassins disposés comme les plates-bandes d'un éternel jardin : dans le granit noir de leurs bords, enchâssant les pierres précieuses de l'Inde, dort une eau morte et métallique avec de lourdes fontaines en cuivre où tombe tristement un rayon bizarre et plein de la grâce des choses fanées. Nulles fleurs, à terre alentour, — seulement, de loin en loin, quelques plumes d'aile d'âmes déchues. Le ciel qu'éclaire enfin un second rayon, puis d'autres, perd lentement sa lividité, et verse la pâleur bleue des beaux jours d'octobre, et bientôt, l'eau, le granit ébénéen et les pierres précieuses flamboient comme aux soirs des carreaux des villes : c'est le couchant. O prodige, une singulière rougeur, autour de laquelle se répand

---

1. Cf. *Prose pour Des Esseintes*, p. 57 : « Sans que nous en devisions »;
2. Mot ayant une grande puissance symboliste. La distinction sujet-objet ne se fait plus. Ce qu'on voit *vit au regard;* 3. Cf. *l'Azur*, p. 24 : « les grands trous bleus que font méchamment les oiseaux ».

une odeur enivrante de chevelures secouées[1], tombe en cascade du ciel obscurci! Est-ce une avalanche de roses mauvaises ayant le péché pour parfum? — Est-ce du fard? — Est-ce du sang? — Étrange coucher de soleil. Ou ce torrent n'est-il qu'un fleuve de larmes empourprées par le feu de bengale du saltimbanque Satan qui se meut par-derrière? Écoutez comme cela tombe avec un bruit lascif de baisers... Enfin, des ténèbres d'encre ont tout envahi où l'on n'entend voleter que le crime, le remords et la Mort. Alors je me voile la face, et des sanglots, arrachés à mon âme moins par ce cauchemar que par une amère sensation d'exil, traversent le noir silence. Qu'est-ce donc que la patrie?

J'ai fermé le livre et les yeux, et je cherche la patrie. Devant moi se dresse l'apparition du poète savant qui me l'indique en un hymne élancé mystiquement comme un lis. Le rythme de ce chant ressemble à la rosace d'une ancienne église : parmi l'ornementation de vieille pierre, souriant dans un séraphique outremer qui semble être la prière sortant de leurs yeux bleus plutôt que de notre vulgaire azur, des anges blancs comme des hosties chantent leur extase en s'accompagnant de harpes imitant leurs ailes[2], de cymbales d'or natif, de rayons purs contournés en trompettes, et de tambourins où résonne la virginité des jeunes tonnerres : les saintes ont des palmes, — et je ne puis regarder plus haut que les vertus théologales, tant la sainteté est ineffable; mais j'entends éclater cette parole d'une façon éternelle : *Alleluia!*

(Éditions Gallimard.)

Symphonie littéraire comporte une troisième partie sur Théodore de Banville, poète que Mallarmé loue d'être le poète de l'âge d'or. Ces pages ne nous apprennent rien sur Mallarmé lui-même. Baudelaire et Gautier accueillirent avec une certaine réserve les louanges que leur adressait leur jeune émule. Banville en fut ému et conserva à Mallarmé une gratitude qu'il ne se contenta pas de manifester en paroles.

---

1. Le symbole de la chevelure emprunté par Mallarmé à Baudelaire sera d'un emploi si fréquent dans son œuvre entière qu'un des meilleurs commentateurs du poète, M. Camille Soula, a pu écrire un opuscule sur ce thème étudié à travers toute l'œuvre; 2. Voici l'image qui donnera naissance l'année suivante au petit poème *Sainte* : « Sur le plumage instrumental — Musicienne du silence. »

BRISE MARINE

Brise marine se rattache à la période baudelairienne, malgré la date de sa composition : mai 1865. C'est une manifestation attardée de l'imitation des *Fleurs du mal*, puisque, depuis sept mois, *Hérodiade* est sur la table de travail du poète. *Brise marine* fit partie de l'envoi adressé au premier *Parnasse contemporain* (1866). Comme *la Pipe*, *Brise marine* évoque des souvenirs de traversée, mais, au lieu de revivre le passé, le poète se révolte et veut s'évader d'un présent qui lui pèse de plus en plus. Ce n'est pas un thème littéraire. C'est une véritable tentation dont l'intensité permet de mesurer l'héroïsme du poète qui renonce à fuir.

La chair est triste, hélas ! et j'ai lu tous les livres.
Fuir ! là-bas fuir ! Je sens que des oiseaux sont ivres
D'être parmi l'écume inconnue et les cieux !
Rien, ni les vieux jardins reflétés par les yeux
5 Ne retiendra ce cœur qui dans la mer se trempe
O nuits ! ni la clarté déserte de ma lampe[1]
Sur le vide papier que la blancheur défend
Et ni la jeune femme allaitant son enfant[2].
Je partirai ! Steamer balançant ta mâture,
10 Lève l'ancre pour une exotique nature !

Un Ennui, désolé par les cruels espoirs,
Croit encore à l'adieu suprême des mouchoirs !
Et peut-être, les mâts, invitant les orages
Sont-ils de ceux qu'un vent penche sur les naufrages
15 Perdus, sans mâts, sans mâts, ni fertiles îlots...
Mais, ô mon cœur, entends le chant des matelots[3] ! (6)

(Éditions Gallimard.)

---

1. Allusion aux longues nuits de travail, cf. le poème *Las de l'amer repos* : « Et ma lampe qui sait pourtant mon agonie », et le poème *Don du poème* : « L'aurore se jeta sur la lampe angélique » ; **2.** Geneviève Mallarmé avait alors six mois ; **3.** Réminiscence de *Parfum exotique* de Baudelaire, qui se termine par cet alexandrin : « Se mêle dans mon âme au chant des mariniers. » Plusieurs fois, Mallarmé éprouva réellement la tentation de fuir.

─── QUESTIONS ───

6. Thème de ce poème.
— Le titre correspond-il au texte ? Ajoute-t-il quelque chose ?
— Quelles allusions sont contenues dans les vers 7 et 8 ?
— Que signifie *croit encore* (v. 12) ?
— Y a-t-il une conclusion ?

LES ANNÉES DE THÉÂTRE DES PROFONDEURS
(fin 1864-1867)

Cette période, qui va de la vingt-troisième à la vingt-sixième année de la vie du poète, correspond à la fin du séjour à Tournon (1864-1866) et à l'année scolaire de Besançon (1866-1867).

HÉRODIADE

Mallarmé a pressenti l'importance de la psychologie des profondeurs, où s'illustrèrent, une trentaine d'années plus tard, Freud et ses disciples. En 1864, âge de vingt-deux ans, il éprouve le besoin de se libérer de l'influence tyrannique de Baudelaire et s'étudie lui-même. Sous ce moi « baudelairien » qui accapare toute la scène de son âme, il sent exister confusement une autre partie de lui-même qui se manifeste seulement par ses effets : par sa résistance, par son inhibition. Il continue à appeler cette force *l'impuissance*, mais se rend compte qu'elle est trop constante pour pouvoir être expliquée par une fatigue de l'esprit. Elle n'existe que lorsque le poète s'assoit devant une feuille blanche pour commencer un poème. Elle disparaît s'il écrit une lettre. Les idées, les mots viennent sans peine quand il écrit ses magnifiques lettres à Cazalis, à Lefébure, à Des Essarts. Comme il ne peut saisir cette cause inconsciente qui se dérobe, il décide d'exprimer l'effet de celle-ci dans une langue aux incantations magiques, curatives, aptes à exorciser cet état, à supprimer ce que Freud appellera plus tard un « complexe ». Mais, au lieu de se confesser, il préfère mettre en scène cette « dualité morbide » qu'il éprouve en faisant tenir les rôles de l'homme double qu'il porte en lui à deux personnages distincts. Dans une lettre écrite à Cazalis en octobre 1864, il annonce qu'il commence *Hérodiade*.

« *Hérodiade*, dit M. Charles Mauron, malgré ses splendeurs verbales, me semble un des poèmes des plus étranges, des plus gauches et, si je puis employer ce terme, des plus « sous-marins » de la langue française. On ne peut le comprendre d'une façon tout à fait complète que si l'on se rend compte que le poète est en communion avec des profondeurs de l'inconscient[...] Je crois, pour être plus précis, que la nourrice symbolise, vaguement, la vie naturelle et ses tentations : non pas directement mais, comme dans la théorie freudienne, par une évocation de la première enfance. »

Le personnage d'Hérodiade ne reste pas le même tout au long de la scène. La princesse est tantôt consciente, quand elle rabroue la vieille nourrice, tantôt presque en état d'hypnose, quand elle se regarde dans son miroir et parle à son image. On a une alternative répétée du sensible vécu instantanément et de l'éternelle vision de la « Beauté intérieure », qui ne veut pas se traduire en mots de peur de s'inscrire dans le temps et de vieillir.

Mallarmé est Hérodiade par expérience. « Cet état vague des jeunes filles qui est le mien d'ordinaire », dira-t-il plus tard dans une lettre adressée de Royat à sa femme et à sa fille, le 20 août 1888. Il est un mélange de féminin et de viril, car il est aussi *le seigneur latent qui ne peut devenir*, comme il l'a dit dans un article sur Hamlet. On trouve dans ce magnifique article le secret d'*Hérodiade* et même de tous les autres fragments dramatiques composés par Mallarmé, *l'Après-midi d'un faune*, *Igitur*, *Un coup de dés jamais n'abolira le hasard* : « L'adolescent évanoui de nous aux commencements de la vie et qui hantera les esprits hauts et pensifs par le deuil qu'il se plaît à porter, je le reconnais, qui se débat sous le mal d'apparaître.... Avance le seigneur latent qui ne peut devenir, juvénile ombre de tous, ainsi tenant du mythe. »

Dans le tome des œuvres complètes de Mallarmé (éd. de la Pléiade, N. R. F., 1956), *Hérodiade* comprend trois fragments : I. Ouverture ancienne; II. Scène; III. Cantique de saint Jean. Seule la scène d'Hérodiade et de la nourrice (134 alexandrins) parut du vivant du poète, la première fois en 1871 dans la deuxième série du *Parnasse contemporain*, puis en 1887 dans le recueil de *Poésies*. La mort surprit le poète alors qu'il préparait l'édition Deman, où devaient figurer les deux autres fragments. Ceux-ci ne parurent que longtemps après la mort du poète. L'*Ouverture*, monologue de la nourrice en 96 alexandrins, parut à la N. R. F. le 1er novembre 1926, et le *Cantique*, sept petites strophes de quatre vers (3 vers de 6 syllabes suivis d'un vers de 4 syllabes), fit partie de l'édition des *Poésies* de la N. R. F. publiée en 1913. Un autre fragment intitulé *les Noces d'Hérodiade* a été publié, avec une introduction, par G. Davies (Gallimard, 1959). Voulant présenter un Mallarmé tel qu'il s'est formé d'année en année et tel que l'ont connu ses contemporains, amis ou ennemis, nous donnons la partie principale de la scène parue dans le *Parnasse contemporain*.

Cette Hérodiade adolescente ne correspond pas à l'Hérodiade, mère de Salomé, de l'Évangile. Il s'agit sans doute d'une confusion volontaire. Le poète, qui donne à Salomé le nom d'Hérodiade parce qu'il préfère ce nom magique[1] qu'il employa déjà dans son poème *les Fleurs*, écrit quelques mois avant le début de la création d'*Hérodiade* : « Et, pareille à la chair de la femme, la rose — Cruelle Hérodiade en fleur du jardin clair, — Celle qu'un sang farouche et radieux arrose ! » La jeune princesse vierge a pu être imaginée

---

1. « La plus belle page de mon œuvre sera celle qui ne contiendra que ce nom divin Hérodiade. Le peu d'inspiration que j'ai eu, je le dois à ce nom; je crois que si mon héroïne s'était appelée Salomé, j'eusse inventé ce mot sombre, et rouge comme une grenade ouverte » (*Corresp.*, p. 154).

par le poète à la suite de la lecture de *Salammbô*, qui parut en 1862, mais qu'il ne lut, nous le savons, qu'au début de 1864.

Le jour commence. La vieille nourrice veut aider Hérodiade à se peigner, mais la princesse la repousse et lui ordonne de tenir simplement le miroir.

HÉRODIADE

42 Assez! Tiens devant moi ce miroir.

                    O miroir!
Eau froide par l'ennui dans ton cadre gelée
Que de fois et pendant des heures, désolée
45 Des songes et cherchant mes souvenirs qui sont
Comme des feuilles sous ta glace au trou profond,
Je m'apparus en toi comme une ombre lointaine,
Mais, horreur! des soirs, dans ta sévère fontaine,
J'ai de mon rêve épars connu la nudité!
50 Nourrice, suis-je belle?

LA NOURRICE

                Un astre, en vérité
Mais cette tresse tombe...

HÉRODIADE

                    Arrête dans ton crime
Qui refroidit mon sang vers sa source, et réprime
Ce geste, impiété fameuse : ah! conte-moi
Quel sûr démon te jette en le sinistre émoi,
55 Ce baiser, ces parfums offerts et, le dirai-je?
O mon cœur, cette main encore sacrilège,
Car tu voulais, je crois, me toucher, sont un jour
Qui ne finira pas sans malheur sur la tour...
O jour qu'Hérodiade avec effroi regarde!

LA NOURRICE

60 Temps bizarre, en effet, de quoi le ciel vous garde!
Vous errez, ombre seule et nouvelle fureur,
Et regardant en vous précoce avec terreur;
Mais toujours adorable autant qu'une immortelle,
O mon enfant, et belle affreusement et telle
65 Que...

HÉRODIADE

Mais n'allais-tu pas me toucher?

LA NOURRICE

... J'aimerais

Être à qui[1] le destin réserve vos secrets.

HÉRODIADE

Oh! tais-toi[2]!

LA NOURRICE

Viendra-t-il parfois!

HÉRODIADE

Étoiles pures,

N'entendez pas!

LA NOURRICE

Comment, sinon parmi d'obscures
Épouvantes, songer plus implacable encor
70 Et comme suppliant le dieu que le trésor
De votre grâce attend! et pour qui, dévorée
D'angoisses, gardez-vous la splendeur ignorée
Et le mystère vain de votre être?

HÉRODIADE

Pour moi.

LA NOURRICE

Triste fleur qui croît seule et n'a pas d'autre émoi
75 Que son ombre dans l'eau vue avec atonie[3].

HÉRODIADE

Va, garde ta pitié comme ton ironie.

LA NOURRICE

Toutefois expliquez : oh! non, naïve enfant,
Décroîtra, quelque jour, ce dédain triomphant.

HÉRODIADE

Mais qui me toucherait, des lions respectée?

---

1. A celui à qui... Être sa servante pour pouvoir être témoin de cet hymen;
2. La nourrice représente l'inconscient, séjour de la libido, Hérodiade la conscience qui refoule brutalement cet inconscient vers les profondeurs;
3. *Atonie :* langueur.

80 Du reste, je ne veux rien d'humain et, sculptée[1],
   Si tu me vois les yeux perdus au paradis,
   C'est quand je me souviens de ton lait bu jadis.

LA NOURRICE

Victime lamentable à son destin offerte!

HÉRODIADE

   Oui, c'est pour moi, pour moi, que je fleuris, déserte!
85 Vous le savez, jardins d'améthyste[2], enfouis,
   Sans fin dans de savants abîmes éblouis,
   Ors ignorés, gardant votre antique lumière,
   Sous le sombre sommeil d'une terre première,
   Vous, pierres où mes yeux comme de purs bijoux[3]
90 Empruntent leur clarté mélodieuse, et vous
   Métaux qui donnez à ma jeune chevelure
   Une splendeur fatale et sa massive allure.
   Quant à toi, femme née en des siècles malins
   Pour la méchanceté des antres sibyllins,
95 Qui parles d'un mortel! selon qui, des calices
   De mes robes, arôme aux farouches délices,
   Sortirait le frisson blanc de ma nudité,
   Prophétise que si le tiède azur d'été,
   Vers lui nativement la femme se dévoile,
100 Me voit dans ma pudeur grelottante d'étoile,
    Je meurs!

            J'aime l'horreur d'être vierge et je veux
    Vivre parmi l'effroi que me font mes cheveux
    Pour, le soir, retirée en ma couche, reptile
    Inviolé sentir en la chair inutile
105 Le froid scintillement de ta pâle clarté

---

1. Telle une statue; 2. Veines de pierres précieuses, et, plus loin, filon d'or, cachés dans le sol. Trésors inutiles. Idée reprise plus tard dans le sonnet sur *Vasco*, qui ne paraîtra qu'en 1899, un an après la mort du poète : « Un inutile gisement — Nuit, désespoir et pierrerie — Par son chant reflété jusqu'au — Sourire du pâle Vasco »; 3. Ces expressions sont prises à un poème en prose écrit au même moment, *le Phénomène futur*, où le « Montreur de choses passées » présente à la foule une *Femme d'autrefois*, nue à l'inverse d'Hérodiade, mais éloignée de toute maternité comme elle, car le désespoir de Mallarmé a pour conséquence une horreur de la perpétuation de l'espèce humaine, analogue à celle de son contemporain Schopenhauer : « Quelque folie, originelle et naïve, une extase d'or, je ne sais quoi! par elle nommé sa chevelure, se ploie avec la grâce des étoffes autour d'un visage qu'éclaire la nudité sanglante de ses lèvres. A la place du vêtement vain, elle a un corps; et les yeux, semblables aux pierres rares, ne valent pas ce regard qui sort de sa chair heureuse... ».

Toi qui te meurs, toi qui brûles de chasteté,
Nuit blanche de glaçons et de neige cruelle[1].
Et ta sœur solitaire, ô ma sœur éternelle
Mon rêve montera vers toi : telle déjà
110 Rare limpidité d'un cœur qui le songea,
Je me crois seule en ma monotone patrie
Et tout, autour de moi, vit dans l'idolâtrie
D'un miroir qui reflète en son calme dormant
Hérodiade au clair regard de diamant[2]...
115 O charme dernier, oui! je le sens, je suis seule.

LA NOURRICE

Madame, allez-vous donc mourir ?

HÉRODIADE

Non, pauvre aïeule,
Sois calme et, t'éloignant, pardonne à ce cœur dur,
Mais avant, si tu veux, clos les volets, l'azur
Séraphique sourit dans les vitres profondes,
120 Et je déteste, moi, le bel azur !

Des ondes

---

1. Mallarmé a pu subir une dernière fois l'influence de Baudelaire dans ce passage qui rappelle la fin du sonnet XXVIII des *Fleurs du mal* : « Ses yeux polis sont faits de minéraux charmants — Et dans cette nature étrange et symbolique — Où l'ange inviolé se mêle au Sphinx antique, — Où tout n'est qu'or, acier, lumière et diamants —-Resplendit à jamais comme un astre inutile — La froide majesté de la femme stérile »; 2. Sur un de ses petits carrés de papier sauvés du feu où l'on jeta une partie des autres, Mallarmé écrivit un jour : « Hérodiade, la jeune intellectuelle ».

QUESTIONS

7. Quelle est la nouvelle poétique inaugurée avec Hérodiade ?
— Étudiez les effets de la crainte de la vie : rudesse à l'égard de la nourrice, narcissisme, égoïsme, inquiétude.
— Le dialogue n'est-il pas un dédoublement, la nourrice représentant l'inconscient, séjour d'une libido qui veut monter à la surface de la conscience, Hérodiade représentant la conscience, qui fait bonne garde et refoule rudement toutes les sorties de l'assiégé ? Étudiez sous cet angle les paroles de la vieille et les rebuffades d'Hérodiade.
— Les recommandations d'Hérodiade à la nourrice avant que celle-ci ne se retire ne rappellent-elles pas deux poèmes, donnés dans ce recueil, composés l'un en janvier 1864, l'autre en mai 1865 ?
— Hérodiade n'est-elle pas le symbole de la poésie ésotérique de Mallarmé ?

Se bercent et, là-bas, sais-tu pas un pays
Où le sinistre ciel ait les regards haïs
De Vénus qui, le soir, brûle dans le feuillage :
J'y partirais.
          Allume encore, enfantillage
125 Dis-tu, ces flambeaux où la cire au feu léger
Pleure parmi l'or vain quelque pleur étranger
Et...

LA NOURRICE

Maintenant ?

HÉRODIADE

Adieu.
               Vous mentez, ô fleur nue
De mes lèvres.
           J'attends une chose inconnue
Ou peut-être, ignorant le mystère et vos cris,
130 Jetez-vous les sanglots suprêmes et meurtris
D'une enfance sentant parmi les rêveries
Se séparer enfin ses froides pierreries[1]. (7)

(Éditions Gallimard.)

SOLITAIRE ÉBLOUI DE SA FOI (1868-1884)

Ces quinze années correspondent à une période semi-cachée de la vie du poète. Revenu de ses impatiences juvéniles, assagi par quelques dures déceptions, voyant de plus ses charges familiales accrues depuis la naissance de Geneviève, il compose peu d'œuvres poetiques et semble décidé à attendre, « avec une patience d'insecte », l'heure encore lointaine de la retraite, pour se mettre au grand œuvre. Cependant, il en mûrit le projet et continue à écrire en prose. Pour tirer quelque profit de sa plume, facile quand il ne compose pas des poèmes, il publie des ouvrages pédagogiques, des traductions et même, durant l'année 1874, des articles destinés aux lectrices d'une revue féminine.

La création d'*Hérodiade* a épuisé Mallarmé durant l'hiver 1864-1865. Il la reprendra durant les hivers 1865-1866 et 1866-1867, et pourra écrire, en mars 1866, à son ami Cazalis : « J'ai passé trois mois, acharné sur *Hérodiade*, ma lampe le sait ! » En

---

1. Difficulté de l'accomplissement de soi, révolte contre la loi de l'évolution, peur de passer de l'idée à l'expression, laquelle vous happerait comme un engrenage du temps.

juin 1865, il abandonne momentanément la poursuite d'une perfection qui s'éloigne sans cesse et compose en deux mois « un intermède héroïque, dont le héros est un Faune ». En août, il fait le voyage de Paris pour porter lui-même son *Après-midi d'un faune* à Banville qui lui a promis de le faire jouer au Français par Coquelin aîné. Il revient à Tournon avec son manuscrit. Cruelle déception, dont il ne fera part qu'à quelques amis : « Les vers de mon *Faune*, écrit-il à Théodore Aubanel, ont plu infiniment, mais de Banville et Coquelin n'y ont pas rencontré l'anecdote nécessaire que demande le public et m'ont affirmé que cela n'intéresserait que les poètes... »

Aux déceptions littéraires s'ajoutent les épreuves professionnelles. Peu de temps après la publication de la première série du *Parnasse contemporain*, les mots « Azur ! Azur ! Azur ! Azur ! » sont écrits sur le tableau noir de la classe, avant l'entrée du professeur d'anglais. Des rires sournois saluent son apparition. Qui donc a pu faire connaître si vite la fin du poème *l'Azur* à des élèves d'une petite ville éloignée de la capitale ? Les « chahuts » s'aggravent. L'association des parents d'élèves, parmi lesquels se trouve le préfet de l'Ardèche, se plaint et réclame le départ du professeur. Son déplacement est fort habilement manigancé par le proviseur, sous couleur d'une suppression de poste. Mallarmé est avisé de sa nomination à Besançon en octobre 1866. Les fatigues du déménagement, l'installation précaire dans un couloir, où il ne peut reconstituer le décor familier de la chambre, de l'espace poétique qu'elle représente avec la fenêtre ouverte sur l'infini, toutes ces épreuves réunies empêchent le poète de reprendre, comme il le désirerait, l'œuvre interrompue. Il décide alors de surmonter l'impuissance qui s'est renforcée en lui. Ce qui l'empêche, pense-t-il, d'atteindre la perfection absolue, c'est un autre absolu qu'il n'a pu complètement éliminer. Comme la coexistence de deux absolus rivaux lui apparaît alors impossible, il doit s'acharner à faire disparaître Dieu de sa pensée. Nier Dieu, ce n'est pas pour autant en expulser l'idée. Le poète doit atteindre une « conception divine » (cf. p. 11), penser sa pensée sans qu'elle puisse lui sembler être le fruit du hasard ni garder une relativité quelconque. Il emploie de nombreuses nuits de silence et de solitude à saisir sa propre pensée dans son jaillissement spontané. Il a détruit tout ce que le passé avait pu accumuler dans sa mémoire, il a fait table rase, créé, en quelque sorte, le vide en lui, et, quand il est arrivé à se considérer comme mort, il veut regarder le visage de ce mort reflété dans la glace de Venise, et voit son image s'estomper, puis disparaître dans le tain brouillé de la glace. Ce phénomène passager de cécité psychique, dû à une trop grande tension de l'être, ne laisse pas de l'impressionner beaucoup, puisqu'il le décrira deux ans plus tard, dans *Igitur ou la Folie d'Elbehnon*. Mais, à force de se concentrer dans un effort d'intellectualité pure, Mallarmé finit par tomber dans une torpeur qui le rend incapable d'assurer pendant quelque temps ses fonctions au lycée. Au sortir de cet état, il éprouve un détachement total à l'égard de tout ce qui pouvait conserver quelque intérêt pour lui.

Ayant obtenu son changement au bout de l'année scolaire, il va habiter et professer à Avignon. Il y retrouve le Rhône de Tournon. C'est là qu'il reprend goût à la poésie et qu'il tente, dans de courts essais poétiques, de profiter de l'expérience acquise aux confins du Néant, à savoir que tout mot dans un poème tend à se rapprocher de l'Idée, et que désigner un objet, c'est provoquer la disparition de toute présence concrète. Désormais, en jouant avec des mots, il va jouer de la présence et de l'absence, et créer ce qu'il appelle des *sonnets nuls*. Son art oscillera entre deux extrêmes : le pur silence métaphysique et la sensation pure, entre la mort de la sensation et le meurtre de l'idée.

SONNET ALLÉGORIQUE DE LUI-MÊME

C'est en juillet 1868 que Mallarmé écrit son premier sonnet négatif. Le texte en a été conservé par Cazalis, auquel Mallarmé l'avait envoyé, sinon nous ne connaîtrions que le second état du sonnet, que le poète donna en 1887 dans l'édition photolithographique. Il diffère notablement du premier et ne porte plus le titre que Mallarmé avait donné en 1868 au premier état du sonnet.

La nuit approbatrice allume les onyx
De ses ongles[1] au pur Crime lampadophore[2],
Du soir aboli[3] par le vespéral Phœnix
De qui la cendre n'a de cinéraire amphore.

5 Sur des consoles, en le noir Salon : nul ptyx[4],
Insolite vaisseau[5] d'inanité sonore,
Car le Maître est allé puiser[6] l'eau du Styx
Avec tous ses objets dont le rêve s'honore.

---

1. Ce sont les étoiles; **2.** C'est le soleil mourant; **3.** Mot introduit dans la poésie par Gérard de Nerval, dans le sonnet *El Desdichado* : « Je suis le ténébreux, le veuf, l'inconsolé, — Le prince d'Aquitaine à la tour abolie. » On trouve *aboli* cinq fois dans les poèmes en vers de Mallarmé; **4.** *Ptyx*, mot dont le poète ne se représentait pas très bien le sens, comme il l'avoue à Lefébure, mais dont la sonorité lui plaisait. En vérité, le mot convenait, puisqu'il signifie « conque creuse » en grec. V. Hugo l'avait employé dans *le Satyre de la Légende des siècles* pour désigner une des sept collines de Rome, sans doute creusée de grottes ou d'anfractuosités : « ... en entendant Chrysis — Sylvain du Ptyx que l'homme appelle Janicule »; **5.** *Vaisseau*, au sens de vase; **6.** *Puiser* = 3 syllabes. C'est le seul cas de diérèse fautive dans l'œuvre poétique de Mallarmé.

Et selon la croisée au nord vacante, un or
10 Néfaste incite pour son beau cadre une rixe
Faite d'un dieu que croit emporter une nixe[1]

En l'obscurcissement de la glace, Décor
De l'Absence, sinon que sur la glace encor
De scintillation le septuor[2] se fixe[3]. **(8)**

(Éditions Gallimard.)

Ce texte, dont on n'a pas retrouvé la moindre trace dans les papiers du poète après sa mort, avait donc été envoyé par celui-ci à Cazalis, qui croyait pouvoir le faire accepter dans un recueil édité par Lemerre, sous le titre de *Sonnets et Eaux-fortes*. Hélas! ce fut encore une déception. Le sonnet de Mallarmé ne figure pas (il était arrivé trop tard) dans l'ouvrage, qui compte quarante et un sonnets signés de Banville, Gautier, Leconte de Lisle, Sainte-Beuve, Heredia, Verlaine, etc., avec des illustrations de Bracquemond, Corot, Jongkind, Manet.

Contrairement à son habitude, l'auteur accompagnait son envoi à Cazalis d'un commentaire très important : « Mon sonnet est inverse, je veux dire que le sens, s'il en a un (mais je me consolerai du contraire grâce à la dose de poésie qu'il renferme, ce me semble) est évoqué par un mirage interne des mots mêmes... J'ai pris ce sujet d'un « sonnet nul » se réfléchissant de toutes les façons parce que mon œuvre est à la fois si bien préparée et hiérarchisée, représentant comme elle le peut l'univers, que je n'aurais su sans endommager quelqu'une de mes impressions étagées rien en enlever. Dans une nuit d'absence et d'interrogation, sans meuble, sinon l'ébauche plausible de vagues consoles, un cadre belliqueux et agonisant, un miroir appendu au fond, avec sa réflexion stellaire et incompréhensible, de la Grande Ourse, qui relie au ciel seul ce logis abandonné du monde... »

---

1. *Nixe :* nymphe des eaux chez les Germains; 2. Les sept étoiles de l'Ourse; 3. Les rimes du sonnet sont en *ix*, *ore* pour les quatrains et en *or*, *ixe* pour les tercets.

QUESTIONS

---

8. Comparez les deux états du sonnet : *La Nuit approbatrice...* et *Ses purs ongles très haut...*
— Pourquoi le poète a-t-il créé ce contraste entre l'inanité du décor et la qualité parnassienne des rimes ?
— Pourquoi, dans le deuxième état, a-t-il voulu la célèbre allitération double *aboli bibelot d'inanité sonore* (v. 6) ?
— Que prépare la précision donnée au vers 9 : *au nord vacante* ?

Avant de faire disparaître le premier état du sonnet, le poète fit d'importantes retouches à son texte, quand, dix-neuf ans plus tard, il décida de le publier dans l'édition photolithographique de 1887. Voici donc le seul texte que purent connaître les lecteurs de l'âge héroïque du symbolisme. On le désigne d'ordinaire sous le titre de *Sonnet en yx*.

Ses purs ongles très haut dédiant leur onyx,
L'Angoisse, ce minuit, soutient, lampadophore,
Maint rêve vespéral brûlé par le Phénix
Que ne recueille pas de cinéraire amphore.

5 Sur les crédences[1], au salon vide : nul ptyx,
Aboli bibelot d'inanité sonore,
(Car le Maître est allé puiser des pleurs au Styx
Avec ce seul objet dont le Néant s'honore).

Mais proche la croisée au nord vacante, un or
10 Agonise selon[2] peut-être le décor
Des licornes[3] ruant du feu contre une nixe,

Elle, défunte nue en le miroir, encor
Que, dans l'oubli fermé par le cadre, se fixe
De scintillations sitôt le septuor[4].

(Éditions Gallimard.)

QUAND L'OMBRE MENAÇA...

Après ce sonnet, il y a un trou de cinq ans (1868-1873), le plus grand de toute la production poétique de Mallarmé, où les trous d'une ou deux années sont fréquents. En 1874 sans doute, d'après l'édition de la Pléiade (mais nous n'avons aucun document qui permette de le dater), le sonnet *Quand l'ombre menaça...* nous apporte une seconde preuve de l'importance capitale de la crise de Besançon. Il en est comme le mémorial. Le frémissement et le rayonnement de ses vers feraient croire qu'ils ont été composés peu de temps après cette crise. Pourtant, six ans se sont écoulés, mais la

---

1. Décor de la future chambre d'*Igitur*, « mystérieux ameublement »; **2.** Sens concret : le long de; **3.** Une glace ancienne avec un décor de licornes combattantes, que Mallarmé avait achetée chez un antiquaire d'Avignon; **4.** Le poète a gardé les mêmes rimes dans les quatrains des deux états du sonnet, mais il a modifié leur disposition dans les tercets et donné la prédominance au son *or*, qui termine le sonnet d'une façon plus forte.

mémoire émotionnelle du poète est extraordinaire. On retrouve même dans ce sonnet des expressions et des images de la lettre écrite au lendemain de la crise, le 14 mai 1867, à Cazalis. C'est une profession de foi. Aussi le « je », qui n'a pas été utilisé dans le sonnet précédent, réapparaît, et Mallarmé, luttant contre sa tendance à nier, affirme avec force : *oui, je sais*. Ce sonnet attendit dix ans l'heure de sa publication. Verlaine, qui désirait faire figurer Mallarmé parmi les « Poètes maudits », qu'il présentait dans la revue *Lutèce*, avait réclamé de l'inédit à son ami. Le sonnet parut dans le numéro de *Lutèce* du 24 novembre 1883, avant de figurer dans le livre composé par Verlaine avec les articles réunis.

Quand l'ombre[1] menaça de la fatale loi
Tel vieux Rêve, désir et mal de mes vertèbres,
Affligé de périr sous les plafonds funèbres
Il a ployé son aile[2] indubitable[3] en moi.

5 Luxe, ô salle d'ébène[4] où, pour séduire un roi
Se tordent dans leur mort des guirlandes célèbres,
Vous n'êtes qu'un orgueil menti[5] par les ténèbres
Aux yeux du solitaire ébloui de sa foi[6].

Oui, je sais qu'au lointain de cette nuit, la Terre
10 Jette d'un grand éclat l'insolite mystère[7],
Sous les siècles hideux qui l'obscurcissent[8] moins.

---

1. Le décor est la nuit comparée à une chapelle ardente. Thème de la mort et de ses pompes, amplifié jusqu'au Cosmos, l'Univers entier tendant au-dessus du poète ses draperies funèbres; **2.** Image qui se trouve dans la lettre à Cazalis : « Une lutte terrible avec ce vieux et méchant plumage, terrassé heureusement, Dieu ! Mais comme cette lutte s'était passée sur son aile osseuse, qui, par une agonie plus vigoureuse que je ne l'eusse supposé chez lui, m'avait emporté dans les Ténèbres, je tombai, victorieux... »; **3.** Association d'un nom concret et d'une épithète abstraite, qui modifie la teneur de ce mot : c'est au moment où elle meurt que je n'ai pu douter de la force de cette aspiration; **4.** Mme E. Noulet nous invite à voir dans cette *salle d'ébène* la vaste nuit et ses constellations, c'est-à-dire le futur décor du *Coup de dés* et le rappel du *septuor* du sonnet précédent. Chaque poème de Mallarmé possède un « lieu » poétique qui est presque toujours mis en relation avec le ciel étoilé. L'interprétation du second quatrain permet de comprendre les *plafonds funèbres* du premier quatrain; **5.** Dans ses lettres, Mallarmé parle également de *mensonge* : « Il n'y a que la Beauté, et elle n'a qu'une expression parfaite, la *Poésie*. Tout le reste est mensonge »; **6.** Le poète, pour qui les notions métaphysiques de temps et d'espace deviennent « impressions », vit tout l'espace et toute la nuit des temps en un seul instant d'une certaine nuit; **7.** Renversement de point de vue : le ciel voit au lieu d'être vu; **8.** Le temps est un élément impur qui ne peut plus faire écran entre l'Univers et la gloire du poète. On trouve également ce verbe *obscurcir* dans la lettre à Cazalis : « Mon esprit, ce solitaire habituel de sa propre Pureté, que n'obscurcit plus même le reflet du temps ».

L'espace à soi pareil qu'il s'accroisse ou se nie
Roule dans cet ennui des feux vils pour témoins[1]
Que s'est d'un astre en fête[2] allumé le génie. (**9**)

(Éditions Gallimard.)

TOAST FUNÈBRE

Depuis son installation à Paris (1871), Mallarmé partage son temps entre les heures de classe du lycée Fontanes, ses préparations d'ouvrages pédagogiques et la visite quotidienne à Edouard Manet. Fait significatif, son meilleur ami pendant dix ans va être non un poète, mais un peintre impressionniste. Mallarmé fait peau neuve, change d'amis et d'habitudes. Lefébure cesse de lui écrire à partir de 1871. Cazalis et Des Essarts espacent de plus en plus leurs lettres. Nous avons déjà expliqué ce changement par le contrecoup de la crise de Besançon, mais les soucis familiaux et professionnels se sont accrus. Un second enfant, Anatole, est né en 1871, et les classes de Paris sont plus épuisantes que celles de province.

Lorsque Théophile Gautier meurt le 23 octobre 1872, Glatigny suggère aux poètes qui admirent l'œuvre du disparu de composer un recueil collectif de poèmes, un *Tombeau*. Mallarmé, qui n'a pas encore été excommunié par le Parnasse, est sollicité de collaborer. Il compose *Toast funèbre*, dont la parenté avec le sonnet *Quand l'ombre menaça...* est frappante, ce qui permet d'assigner au sonnet la même date de composition qu'au *Toast*. *Le Tombeau de Théophile Gautier* parut en 1874 chez Alphonse Lemerre, sur 180 pages. Le poème de Mallarmé en est le chef-d'œuvre, et seul le magnifique poème de V. Hugo placé en tête du recueil peut lui être comparé. Cependant, le *Toast* semble avoir été éclipsé par les poèmes signés par Leconte de Lisle,

---

1. Substantif construit comme le verbe correspondant : *qui témoignent que...* ;
2. Mot cher à Mallarmé, employé par celui-ci pour évoquer l'ivresse intime et supérieure : « N'est-il de fêtes que publiques : j'en sais de retirées aussi. » (Éd. de la Pléiade, p. 499.)

──────── **QUESTIONS** ────────

9. Composition du sonnet.
— A quelle crise fait allusion le premier quatrain ?
— Pourquoi ce mépris du monde sidéral ? Mallarmé croit-il, comme Pascal, à un ordre supérieur, celui de la pensée ?

Banville, Coppée, Dierx, Heredia, Mistral. On le remarque à peine. Dans la *Renaissance artistique et littéraire*, Emile Blémont consacre au recueil un long article où il se contente de citer le titre du poème de Mallarmé.

O de notre bonheur, toi, le fatal emblème![1]

Salut de la démence et libation blême,
Ne crois pas qu'au magique espoir du corridor[2]
J'offre ma coupe vide où souffre un monstre d'or!
5 Ton apparition ne va pas me suffire :
Car je t'ai mis, moi-même, en un lieu de porphyre.
Le rite est pour les mains d'éteindre le flambeau
Contre le fer épais des portes du tombeau :
Et l'on ignore mal[3], élu pour notre fête
10 Très simple de chanter l'absence du poëte[4],
Que ce beau monument l'enferme tout entier[5].
Si ce n'est que la gloire ardente du métier
Jusqu'à l'heure commune et vile de la cendre,
Par le carreau[6] qu'allume un soir fier d'y descendre
15 Retourne vers les feux du pur soleil mortel!

Magnifique, total et solitaire, tel
Tremble de s'exhaler le faux orgueil des hommes.
Cette foule hagarde![7] elle annonce : Nous sommes
La triste opacité de nos spectres futurs.
20 Mais le blason des deuils épars sur de vains murs
J'ai méprisé l'horreur lucide d'une larme,
Quand, sourd même à mon vers sacré qui ne l'alarme

---

1. Ce vers se détache du *Toast* comme une citation latine des Écritures annonce le thème général d'une Oraison funèbre de Bossuet. Les autres parties du discours sont séparées par un interligne. 1ʳᵉ partie (vers 2 à 15) : apostrophe à Gautier mort. Sa gloire seule peut échapper au néant. — 2ᵉ partie (vers 16 à 31) : le néant humain dialogue avec le néant spatial. — 3ᵉ partie (vers 32 à 47) : ce qu'est la survie de l'œuvre des poètes, le passage de la vue au mot et du mot à l'Idée. — 4ᵉ partie (vers 48 à 56) : péroraison. Le tombeau enferme tout ce qui pouvait nuire à la gloire du poète : le silence et la nuit; 2. Image désignant l'espoir d'un passage d'une vie en une autre; 3. *On a tort d'ignorer;* 4. Comme l'édition de la Pléiade nous respectons dans les textes de Mallarmé l'orthographe «poëte»; 5. A rapprocher de «la mort chuchote bas : je ne suis personne, je m'ignore même » (*Pour un « Tombeau d'Anatole »*, p. 61); 6. Cf. *les Fenêtres* (éd. de la Pléiade, p. 32) : « Que la vitre soit l'art, soit la mysticité »; 7. Mallarmé a pu se souvenir du poème swedenborgien de C. Mendès, *Hesperus* (1872) : « J'ai désiré la vie — Et l'ai cherchée au fond du mystère hagard. »

Quelqu'un de ces passants, fier, aveugle et muet,
Hôte de son linceul vague, se transmuait
25 En le vierge héros de l'attente posthume.
Vaste gouffre apporté dans l'amas de la brume
Par l'irascible vent des mots qu'il n'a pas dits,
Le néant à cet Homme aboli de jadis :
« Souvenirs d'horizons, qu'est-ce, ô toi, que la terre ? »
30 Hurle ce songe ; et, voix dont la clarté s'altère,
L'espace a pour jouet le cri : « Je ne sais pas ![1] »

Le Maître, par un œil profond, a, sur ses pas,
Apaisé de l'Eden l'inquiète merveille
Dont le frisson final, dans sa voix seule, éveille
35 Pour la Rose et le Lys le mystère d'un nom.
Est-il de ce destin rien qui demeure, non ?
O vous tous, oubliez une croyance sombre.
Le splendide génie éternel n'a pas d'ombre.
Moi, de votre désir soucieux, je veux voir,
40 A qui s'évanouit, hier, dans le devoir
Idéal que nous font les jardins de cet astre[2],
Survivre pour l'honneur du tranquille désastre[3]
Une agitation solennelle par l'air
De paroles, pourpre ivre et grand calice clair,
45 Que, pluie et diamant, le regard diaphane
Resté là sur ces fleurs dont nulle ne se fane,
Isole parmi l'heure et le rayon du jour !

C'est de nos vrais bosquets déjà tout le séjour,
Où le poète pur a pour geste humble et large
50 De l'interdire au rêve[4], ennemi de sa charge :
Afin que le matin de son repos altier,
Quand la mort ancienne est comme pour Gautier
De n'ouvrir pas les yeux sacrés et de se taire,
Surgisse, de l'allée ornement tributaire,

---

1. A rapprocher du poème *Horror* de V. Hugo : « D'où viens-tu ? — Je
ne sais. — Où vas-tu ? — Je l'ignore. » (*Les Contemplations*, VI, 16, éd. des
Grands Écrivains, III, p. 317); 2. C'est Mallarmé (voir sonnet précédent).
Le mot *astre* désigne souvent le poète; 3. Ici, comme en maint autre endroit
de l'œuvre de Mallarmé, le mot signifie *mort* ; 4. *Rêve* a ici un sens péjoratif
et désigne cet état somnolent de la conscience où les idées et les images se
succèdent au hasard des associations.

55 Le sépulcre solide où gît tout ce qui nuit,
  Et l'avare silence et la massive nuit[1]. (10)

(Éditions Gallimard.)

LE TOMBEAU D'EDGAR POE

Il y a chez Mallarmé une prédilection pour les poèmes nécrologiques, qui se manifeste non seulement dans son chef-d'œuvre *Toast funèbre*, mais encore dans une série de sonnets : *Tombeau d'Edgar Poe*, de Baudelaire, de Verlaine, *Hommage* à Wagner. Le plus célèbre des quatre est le premier. Il fut demandé à Mallarmé en 1876 par Mrs. Sara Sigourney Rice, qui préparait la publication d'un volume d'hommages à Edgar Poe, auquel ses compatriotes avaient élevé, l'année précédente, un monument à Baltimore à l'occasion du 25e anniversaire de sa mort. Le sonnet de Mallarmé figura dans *Edgar Allan Poe, A memorial Volume*, qui parut en 1877 à Baltimore. Personne en France n'eut connaissance de ce texte. Ce n'est qu'en décembre 1883 que les Français purent le découvrir dans la revue *Lutèce*.

Tel qu'en lui-même[2] enfin l'éternité le change[3],
Le Poëte suscite avec un glaive nu
Son siècle épouvanté de n'avoir pas connu
Que la mort triomphait dans cette voix étrange[4] !

---

1. Rimes d'homonymes, qui se trouvent déjà dans le poème « Mai », de V. Hugo, paru l'année précédente, dans *l'Année terrible* : « Superbe, tu luttais contre tout ce qui nuit — Ta clarté grandissante engloutissait la nuit »; 2. Le début de ce sonnet a pu être suggéré à Mallarmé par le second vers de l'ode *Ave atque vale*, écrite à la mémoire de Baudelaire par le poëte anglais Swinburne, que connaissait Mallarmé : *On this that was the veil of thee... : Sur ce qui était ton voile...* ; 3. Idée chère à Mallarmé : l'anecdote, le passager sont de faux aspects de la réalité; celle-ci est dans les Idées éternelles. La vie d'un poète est faite de multiples attentes qui ne sont que les apparences anecdotiques de la propre Idée d'attente éternelle. On n'est soi-même que quand le total est fixé par la mort; cf. *Toast funèbre* : « ...le vierge héros de l'attente posthume »; 4. C'est en réalité le génie qui triomphe. Ce vers s'éclaire quand on le rapproche du feuillet 121 du *Tombeau d'Anatole* : « Oui, je reconnais ta puissance, ô mort... impuissante contre le génie humain mais mort humain tant qu'humanité siècle pierre tombeau. »

QUESTIONS

10. Quel mot du texte rappelle le titre ?
— Quelles sont les différentes parties du poème ?
— Comparez la première partie au sonnet *Quand l'ombre menaça...* (p. 46).
— Comparez la troisième partie aux quatrains 6, 7, 8 de la *Prose pour Des Esseintes* (p. 57-58).

5 Eux[1], comme un vil sursaut d'hydre oyant jadis l'ange[2]
Donner un sens plus pur aux mots de la tribu
Proclamèrent très haut le sortilège bu
Dans le flot sans honneur de quelque noir mélange[3].

Du sol et de la nue hostiles, ô grief!
10 Si notre idée avec[4] ne sculpte un bas-relief
Dont la tombe de Poe éblouissante s'orne,

Calme bloc ici-bas chu d'un désastre obscur[5],
Que ce granit du moins montre à jamais sa borne
Aux noirs vols du Blasphème épars dans le futur. **(11)**

(Éditions Gallimard.)

LE « MAÎTRE » ET LES « MARDISTES »
DE LA RUE DE ROME (1884-1898)

La petite salle à manger de Mallarmé dans son appartement du
87, rue de Rome, devient de 1884 à 1898, pendant les quatorze
dernières années de sa vie, un haut lieu de la pensée. Son décor
nous a été décrit par ceux qui y sont allés écouter le Maître, le
mardi soir, de 9 heures à minuit : petite pièce de couleur brune,

---

1. Syllepse fréquente dans Mallarmé, passage du singulier au pluriel et vice
versa; **2.** Il s'agit du Sphinx de Thèbes et d'Œdipe, l'*ange*, au sens étymologique de *messager ;* **3.** Allusion à l'adjuvant demandé à des boissons alcooliques;
4. Avec le thème, en traitant ce sujet; **5.** En 1894, Mallarmé donnera lui-
même un commentaire de ce vers dans l'article sur Edgar Poe qu'il écrira
pour le recueil intitulé *Portraits du prochain siècle :* « ... une piété unique telle
enjoint de me représenter le pur entre les Esprits, plutôt et de préférence à
quelqu'un, comme un aérolithe; stellaire, de foudre, projeté des desseins finis
humains, très loin de nous contemporainement à qui il éclata en pierreries d'une
couronne pour personne, dans maint siècle d'ici. » (Éd. de la Pléiade, p. 531.)

--- QUESTIONS ---

11. Les diverses parties du sonnet *le Tombeau d'Edgar Poe.*
— Dans la première version du poème, Mallarmé avait mis au
v. 4 *s'exaltait.* La correction représente-t-elle un progrès?
— Pourquoi Mallarmé emploie-t-il le vieux participe *oyant?*
— A quelles habitudes d'Edgar Poe fait allusion le vers 8?
— Étudiez la grande phrase qui remplit les deux tercets. N'y
a-t-il pas une anacoluthe? Où?
— *Granit* (v. 13) doit-il être pris au sens exact?

éclairée par une lampe-suspension à abat-jour vert, au fond une horloge paysanne, un poêle de faïence blanche dans un angle (c'est appuyé contre ce poêle que Mallarmé, debout, parle à son auditoire), au centre de la salle une table ancienne Louis XVI pliée en demi-cercle pour que la douzaine d'auditeurs puisse s'asseoir commodément sur les chaises et sur la banquette rangées le long des murs; sur cette table, du papier à cigarettes, un vieux pot de Chine rempli de tabac, des fleurs dans un vase; sur l'antique buffet la chatte Lilith somnolente, dans une cage deux perruches vertes, les « académiciens »; aux murs le portrait de Mallarmé par Manet, une esquisse représentant Hamlet et le spectre sur la terrasse d'Elseneur, signée également de Manet, un pastel d'Odilon Redon. C'est dans cette petite pièce qu'une douzaine de jeunes poètes, l'élite du groupe symboliste, vient tous les mardis écouter un cours d'esthétique et, selon le mot de l'un d'eux, Laurent Tailhade, redoubler ses humanités. Mallarmé attire parce qu'il est sans morgue, qu'il parle comme personne n'a parlé. Il ne veut être ni un chef d'école, ni même un « maître », mais simplement un aîné. Si quelques pages d'*A rebours* et des *Poètes maudits* l'ont rendu célèbre à quarante-deux ans, ce succès tardif ne lui tourne pas la tête. Il demeure fidèle à la ligne de conduite qu'il s'est tracée il y a vingt ans. A part quelques cérémonies littéraires où on le réclame, en dehors de quelques contributions apportées aux jeunes revues symbolistes, il continue à aimer la solitude et ne livre qu'avec répugnance les nouveaux sonnets qu'il compose, à raison d'un ou deux par an. Cette faible production littéraire ne compromet pas sa réputation. Les disciples savent qu'il prépare un « Livre » absolu. Les années passent sans entamer leur confiance en son génie. Et voici en effet la plus belle réussite sur le plan humain de Mallarmé, qui n'a connu ni la richesse ni les honneurs officiels, mais qui a été riche de la plus belle couronne d'amitiés qu'on puisse rêver : des peintres comme Manet, Berthe Morisot, Whistler, Degas, Odilon Redon, des écrivains comme Villiers de L'Isle-Adam et comme Huysmans, et qui a eu parmi ses disciples Gide, Claudel et Valéry.

Dans *A rebours*, le héros de Huysmans, Jean Floridas Des Esseintes, a lu *Hérodiade* dans la deuxième série du *Parnasse contemporain*, parue en 1871, et ce conte intitulé *la Pénultième* dans un numéro de 1874 de la *Revue du monde nouveau* par Mallarmé qui l'avait gardé inédit pendant dix ans. Le public de 1884 est intrigué par cette révélation faite par Huysmans, qui le laisse habilement sur sa faim. Il veut lire *in extenso* ce conte devenu introuvable. L'auteur se décide à le publier dans *le Chat noir* du 28 mars 1885, et ce texte écrit vingt ans plus tôt à Tournon enthousiasme la jeune génération de 1885. Gustave Kahn, l'un des plus ardents, évoquera plus tard cette belle apparition de l'effervescence symboliste : « Au temps où Mallarmé publiait ces vers, il y avait la Pénultième, cette fameuse Pénultième, dont on parlait il y a dix ou douze ans, de la rive gauche à partout : la Pénultième était alors le *nec plus ultra* de l'incompréhensible, le chimborazo de l'infranchissable et le casse-tête chinois. »

Tout ce conte est construit sur un jeu de va-et-vient dont la répétition s'accompagne chaque fois d'une légère déformation de l'état précédent, comme dans un jeu de miroirs, répétant à l'infini le visage et la nuque d'une tête et les deux fonds opposés sur lesquels se détachent le devant et le derrière de cette tête. Mallarmé disait de Verhaeren que c'était lui qui avait le mieux compris sa façon de créer. En effet, le poète belge, rendant compte dans l'*Art moderne* du 17 mai 1891 de la publication de *Pages* de Mallarmé, employait pour désigner le procédé mallarméen le mot : emblématique. « J'ai souvent songé, disait-il, en lisant *Pages*, à ces miroirs placés les uns en face des autres et qui, au bout de leur avenue de clartés, répercutent certes la même image toujours, mais combien différente en chacune de leurs cloisons transparentes. De même, les phrases approfondies de Mallarmé. Chacune reflète la donnée une, idée ou sentiment, de l'ensemble, mais différemment et la concentrant et comme la suçant vers un dernier foyer, là-bas. La méthode de développement la plus curieuse s'affirme en ce livre : emblématique. »

LE DÉMON DE L'ANALOGIE

Des paroles inconnues chantèrent-elles sur vos lèvres, lambeaux maudits d'une phrase absurde ?

Je sortis de mon appartement avec la sensation propre d'une aile glissant sur les cordes d'un instrument, traînante et légère, que remplaça une voix prononçant les mots sur un ton descendant : « La Pénultième est morte », de façon que

La Pénultième

finit le vers et

Est morte

se détacha de la suspension fatidique plus inutilement en le vide de signification. Je fis des pas dans la rue et reconnus en le son *nul* la corde tendue de l'instrument de musique, qui était oublié et que le glorieux Souvenir certainement venait de visiter de son aile ou d'une palme et, le doigt sur l'artifice du mystère, je souris et implorai de vœux intellectuels une spéculation différente. La phrase revint, virtuelle, dégagée d'une chute antérieure de plume ou de rameau, dorénavant à travers la voix entendue, jusqu'à ce qu'enfin elle s'articule seule, vivant de sa personnalité. J'allais (ne me contentant plus d'une perception) la lisant en fin de vers, et, une fois, comme un essai, l'adaptant à mon parler; bientôt la prononçant avec un silence après la « Pénultième » dans lequel je trouvais une pénible jouissance : « La Pénultième » puis la corde de l'instrument, si tendue en l'oubli sur le son *nul*, cassait sans doute et j'ajoutais en manière d'oraison : « Est morte. » Je ne discontinuai pas de tenter un retour à des pensées de prédilection, alléguant, pour me calmer, que, certes, pénultième est le terme du lexique qui signifie l'avant-dernière syllabe des vocables, et son apparition, le reste mal conjuré d'un labeur de linguistique[1] par lequel quotidiennement sanglote de s'interrompre ma noble faculté poétique : la sonorité même et l'air de mensonge assumé par la hâte de la facile affirmation étaient une cause de tourment. Harcelé, je résolus de laisser les mots de triste nature errer eux-mêmes sur ma bouche, et j'allai murmurant avec l'intonation susceptible de condoléance : « La Pénultième est morte, elle est morte, bien morte, la désespérée Pénultième », croyant par là satisfaire l'inquiétude, et non sans le secret espoir de l'ensevelir en l'amplification de la psalmodie quand, effroi ! — d'une magie aisément déductible[2] et nerveuse — je sentis que j'avais, ma main réfléchie par un vitrage de boutique y faisant le geste d'une caresse qui descend sur quelque chose, la voix même (la première, qui indubitablement avait été l'unique).

Mais où s'installe l'irrécusable intervention du surnaturel, et le commencement de l'angoisse sous laquelle agonise mon esprit naguère seigneur c'est quand je vis, levant les

---

1. Les heures de professorat au lycée de Tournon; **2.** *Déductible :* que l'on peut déduire. Ce mot, qui n'est attesté dans aucun dictionnaire, est peut-être une création de Mallarmé. Sa formation est d'ailleurs parfaitement correcte et son sens évident.

QUESTIONS

12. Définissez l'analogie en général et l'analogie chez Mallarmé.
— Pourquoi le mot *pénultième* fait-il un tel effet sur le poète ?
— Mallarmé est-il un auditif ou un visuel ? Les avatars de cette phrase peuvent-ils nous le dire ?
— Que veut dire *magie aisément déductible ?*

yeux, dans la rue des antiquaires instinctivement suivie, que j'étais devant la boutique d'un luthier vendeur de vieux instruments pendus au mur, et, à terre, des palmes[1] jaunes et les ailes enfouies en l'ombre, d'oiseaux anciens[2]. Je m'enfuis, bizarre, personne condamnée à porter probablement le deuil de l'inexplicable Pénultième. **(12)**

(Éditions Gallimard.)

PROSE[3]
pour Des Esseintes

Pour exprimer indirectement à Huysmans sa gratitude, Mallarmé compose un poème de quatorze quatrains d'octosyllabes qu'il intitule *Prose pour Des Esseintes*. Ce poème paraît en janvier 1885, dans *la Revue indépendante*. Les adversaires de la nouvelle école le condamnent comme incompréhensible dans les douze premières strophes et ridicule dans les deux dernières, et font des gorges chaudes des prénoms de ce couple étrange : Anastase et Pulchérie. Les disciples de Mallarmé savent gré à celui-ci d'avoir eu le courage de braver l'opinion. L'un d'eux, Edouard Dujardin, écrira plus tard que la publication de ce poème fut « l'événement qui déclencha cette célébrité faite autant des moqueries et des insultes du plus grand nombre que de la pieuse et filiale admiration de quelques-uns ». Plusieurs exégètes : Albert Thibaudet, Henry Charpentier, Mme Emilie Noulet, Jean Soulairol, Charles Chassé, Daniel Boulay, ont tenté de traduire en clair ce poème sibyllin. Tous s'accordent à y découvrir un certain platonisme, mais ne sont généralement pas d'accord dans les explications des détails du texte. Cela ne veut pas dire que ce texte soit incompréhensible. Il est très riche en sens qui rayonnent de certains centres,

---

1. Syntaxe souple : je vis 1° que j'étais, etc. et, 2° des palmes jaunes, etc.; **2.** Le point de départ de cette rencontre entre le rêve et la réalité peut être un fait qui remontait à quelques mois et dont Mallarmé fit part à Cazalis dans sa lettre du 9 décembre 1863 : « Il y a à la fenêtre des corbeaux qui me couvent, et espèrent... » **3.** *Prose* : au sens liturgique, hymne d'église en vers latins syllabiques et rimés. Peut-être y a-t-il là une allusion aux goûts du héros d'*A rebours* pour un certain latin de la décadence.

QUESTIONS

— Le *surnaturel* n'est-il pas simplement le *surréel* des futurs disciples du symbolisme ?

— L'explication donnée par le poète sur l'origine de son angoisse doit-elle être prise au sérieux ? N'y a-t-il pas d'autres raisons plus graves à l'angoisse du poète ?

et il comporte des labyrinthes dans lesquels plusieurs itinéraires
sont également possibles. Sans pouvoir donner de certaines strophes
un mot à mot qui soit irréfutable, on finit par comprendre ce
texte et par en découvrir toute la richesse, en se laissant porter
par le courant des mots. Ce qu'il y a de sûr, c'est que Mallarmé
a fait œuvre sérieuse et qu'au moment de commencer une sorte
de vie publique où sa réputation va se trouver bien plus engagée
qu'auparavant il donne non un manifeste de chef d'école (ce
n'est pas son genre), mais le secret de sa façon de regarder la réalité
en la dépassant (hyperbole) pour atteindre l'idée antérieure, par
le nom, qui est le pont entre la sensation et l'idée. Cette poétique
invite le lecteur à parcourir le même chemin pour se rencontrer
avec le poète, d'abord dans l'intelligence, puis, en continuant, dans
la sensation. Le symbole devient la communication du pensé
et du senti entre le poète et le lecteur. Cette poétique se trouvera
précisée dans l'article « Solitude » qu'écrira Mallarmé en 1895.
Il n'y a qu'une seule vraie existence littéraire, celle « qui se passe
à réveiller la présence, au-dedans, des accords et significations
avec le monde ». C'est à cette existence que le poète initie le lecteur.

> Hyperbole[1]! de ma mémoire
> Triomphalement ne sais-tu
> Te lever[2], aujourd'hui grimoire
> Dans un livre de fer vêtu :
>
> 5 Car j'installe, par la science[3],
> L'hymne des cœurs spirituels
> En l'œuvre de ma patience,
> Atlas, herbiers et rituels.
>
> Nous promenions notre visage
> 10 (Nous fûmes deux, je le maintiens)

---

1. Ici, non figure de style, mais effort pour transcender la réalité telle que
la voient les hommes, pour la revoir avec des yeux neufs; **2.** Le poète a déjà
fait une fois l'expérience dans sa jeunesse. Il veut la prendre en repartant du
même point. Il écrit à Cazalis, après la crise de Besançon : « Mon cerveau,
envahi par le Rêve, se refusant à ses fonctions extérieures qui ne le sollicitaient
plus, allait périr dans son insomnie permanente, j'ai imploré la grande Nuit
qui m'a exaucé et a étendu ses ténèbres. La première phase de ma vie a été
finie. La conscience excédée d'ombres, se réveille lentement formant un
homme nouveau et doit retrouver mon Rêve après la création de ce dernier.
Cela durera plusieurs années pendant lesquelles j'ai à revivre la vie de l'humanité depuis son enfance et prenant conscience d'elle-même »; **3.** Il peut y avoir
une allusion à l'enrichissement que lui ont apporté ses études philologiques.
On lit dans *les Mots anglais* (éd. de la Pléiade, p. 965), à propos des dési-
nences : « En voici plusieurs : détachées prudemment et méthodiquement
classées ainsi que des fragments de plantes et de fleurs sèches dans l'herbier
du latiniste. »

Sur maints charmes de paysage,
O sœur[1], y comparant les tiens.

L'ère d'autorité se trouble
Lorsque, sans nul motif, on dit
15   De ce midi que notre double
Inconscience approfondit

Que, sol des cent iris, son site,
Ils savent s'il a bien été,
Ne porte pas de nom que cite
20   L'or de la trompette d'Été[2].

Oui, dans une île que l'air charge
De vue[3] et non de visions
Toute fleur s'étalait plus large
Sans que nous en devisions.

25   Telles, immenses, que chacune
Ordinairement se para
D'un lucide contour, lacune,
Qui des jardins la sépara[4].

---

1. Est-ce sa sœur Maria, dont le souvenir l'obsédera toute sa vie, une jeune fille rencontrée, par exemple cette mystérieuse Harriett que chanta Mallarmé âgé de dix-sept ans dans l'un de ses premiers poèmes (éd. de la Pléiade, p. 7 à 9)? Est-ce le jeune Anatole, métamorphosé en fille par son père, par un certain besoin de mystère? On trouve en effet dans *le Tombeau d'Anatole* des passages qui font écho à la *Prose pour Des Esseintes*. — Non, je me souviens d'une enfance — La tienne deux voix mais sans toi je n'eusse su (f. 24). Est-ce une idéalisation de la moitié féminine de l'âme du poète, Hérodiade? Est-ce une réminiscence du poème *Ulalume* d'Edgar Poe : « J'errais avec mon âme; — une allée de cyprès avec Psyché mon âme... Notre entretien avait été sérieux et grave », poème qui se termine sur la vision d'un tombeau : « Qu'y a-t-il d'écrit, douce sœur, sur la porte, avec une légende, de cette tombe? » Elle répliqua : « Ulalume! Ulalume! C'est le caveau de ta morte Ulalume » (éd. de la Pléiade, p. 196 à 198)? Est-ce une réminiscence du poème l'*Invitation au voyage* de Baudelaire : « Mon enfant, ma sœur... »? Il y a là une situation analogue à celle qu'évoquent les deux maîtres de Mallarmé, une exploration du domaine de la Beauté avec la « sœur », la *Béatrix* d'une nouvelle *Divine Comédie*; 2. La trompette d'or de la renommée; cf., p. 65, le poème *la Gloire :* « cent affiches s'assimilant l'or incompris des jours »; 3. Le poète insiste sur l'état de sa conscience, lors de cette expérience : il regardait, il ne rêvait pas. Cf., p. 49, *Toast funèbre :* « Le Maître, par un œil profond... » « La poésie, a dit également Mallarmé, n'est pas à inventer, elle est seulement à découvrir »; 4. Cf. *Toast funèbre*, p. 49 : « le regard diaphane... Isole parmi l'heure et le rayon du jour! ».

Gloire du long désir[1], Idées
30   Tout en moi s'exaltait de voir
La famille des iridées[2]
Surgir à ce nouveau devoir,

Mais cette sœur sensée et tendre
Ne porta son regard plus loin
35   Que sourire et, comme à l'entendre
J'occupe mon antique soin.

Oh! sache l'Esprit de litige,
A cette heure où nous nous taisons,
Que de lis multiples la tige
40   Grandissait trop pour nos raisons

Et non comme pleure la rive,
Quand son jeu monotone ment
A vouloir que l'ampleur arrive
Parmi mon jeune étonnement

45   D'ouïr tout le ciel et la carte
Sans fin attestés sur mes pas,
Par le flot même qui s'écarte,
Que ce pays n'exista pas.

L'enfant abdique son extase
50   Et docte déjà par chemins
Elle dit le mot : Anastase[3] !
Né pour d'éternels[4] parchemins,

---

1. Ce *long* désir est un rappel de *ma patience* du vers 7 ; **2.** Rime banvillesque. On en trouve de nombreux exemples dans tout ce poème. Mallarmé y restera fidèle, surtout dans les petits vers de circonstance : « Je te lance mon pied *vers l'aine* — Facteur, si tu ne vas *où c'est* — Que rêve mon ami *Verlaine* — Ru' Didot, Hôpital *Broussais;* » **3.** Touche de byzantinisme, bien faite pour plaire à Des Esseintes. Équivoque dans le goût de Mallarmé : prénom ? impératif grec (Dresse-toi) ? ; **4.** La gloire des œuvres est éternelle. Cf. *Toast funèbre.*

--- **QUESTIONS** ---

13. Quel est le sens d'*hyperbole* (v. 1) dans ce poème ? Et quels sont les mots qui correspondent d'un bout à l'autre du poème à ce sens ?
— Qu'est-ce que l'*ère d'autorité* (v. 13) ?
— Montrez que la poésie repart d'un état antérieur aux mots, parce que ceux-ci empêchent de voir comme il faut. Commentez, en particulier, *sans que nous en devisions* (v. 24).

Avant qu'un sépulcre ne rie
Sous aucun climat, son aïeul
55   De porter ce nom : Pulchérie[1]!
Caché par le trop grand glaïeul. (**13**)

(Éditions Gallimard.)

LE VIERGE, LE VIVACE...

Poème dont le style et le thème correspondent à la période de solitude, *le Cygne* ne peut cependant apparaître qu'au début de la vie publique de Mallarmé. On n'a retrouvé ni dans les papiers ni dans la correspondance du poète la moindre allusion qui permît d'assigner à ce sonnet une place plus précise que la date même de la publication, en mars 1885, dans *la Revue indépendante*. C'est un des poèmes les plus célèbres de Mallarmé, parce qu'il paraît plus clair que la majorité des autres. Sans doute on peut trouver aisément l'origine du thème, aussi bien dans *le Cygne* de Th. Gautier (Un cygne s'est pris en nageant — Dans le bassin des Tuileries) que dans *le Cygne* ou *l'Albatros* de Baudelaire, mais on se ferait illusion en croyant que la signification du poème est évidente. La preuve en est dans la fausse interprétation que certains ont donnée à ce poème, où ils ont vu une aspiration au ciel antérieur de l'univers platonicien. Il ne s'agit que de regrets attachés à cette vie. Le poète n'a pas voulu fuir son foyer, comme il en avait eu la tentation (Cf. *Brise marine*, p. 34), mais, grâce à ce sacrifice, il s'est conservé dans une sorte de jeunesse glaciale. Chaque naissance nouvelle du jour fait renaître l'espoir d'une évasion, mais les échecs accumulés jadis la rendent impossible. Cependant, cet essor manqué est un renouvellement quotidien

---

1. Jeu de mots : prénom féminin mais aussi idée de beauté : *Pulcheria*, venant de *pulcher*.

──────── **QUESTIONS** ────────

— Quels mots, à la fin de *Prose pour Des Esseintes*, annoncent la poétique de Mallarmé opposée à celle qui est fondée sur le délire et l'inspiration ?

— Le jeu des rimes est très curieux dans ce poème. On pourrait faire des remarques sur toutes. Cependant, relevez les plus banvillesques. Cherchez, sans tenir compte de la syllabe finale muette, s'il y en a une : 1° 10 vers qui riment sur 2 syllabes; 2° 8 vers qui riment sur 3 syllabes; 3° 4 vers qui riment sur 4 syllabes. Étudiez de plus ces sortes de jeux : *pleure la rive, l'ampleur arrive, son jeu monotone ment, mon jeune étonnement* (v. 41-44). Voyez-vous quelque raison à ces virtuosités ? Est-ce qu'elles nuisent au poème ?

de l' « illumination native » et donne à la souffrance du prisonnier une grandeur incomparable. « Mi-lisible, mi-obscur, dit Mme Émilie Noulet, *le Cygne* a cette clarté par laquelle il attire et cette ombre par laquelle il envoûte... »

Le vierge, le vivace et le bel aujourd'hui[1]
Va-t-il nous[2] déchirer avec un coup d'aile ivre
Ce lac dur oublié que hante sous le givre
Le transparent glacier des vols qui n'ont pas fui![3]

5 Un cygne d'autrefois se souvient que c'est lui
Magnifique mais qui sans espoir se délivre
Pour n'avoir pas chanté la région où vivre
Quand du stérile hiver a resplendi l'ennui[4].

Tout son col secouera cette blanche agonie
10 Par l'espace[5] infligée à l'oiseau qui le nie,
Mais non l'horreur du sol où le plumage est pris.

Fantôme qu'à ce lieu son pur éclat assigne,
Il s'immobilise au songe froid de mépris
Que vêt[6] parmi l'exil inutile le Cygne. (**14**)

(Éditions Gallimard.)

_____

1. Quelques jours avant sa mort, le poète écrivait : « Suffisamment, je me fus fidèle, pour que mon humble vie gardât un sens. Le moyen, je le publie, consiste quotidiennement à épousseter, de ma native illumination, l'apport hasardeux extérieur, qu'on recueille, plutôt, sous le nom d'expérience. Heureuse ou vaine, ma volonté des vingt ans survit intacte. » (Éd. de la Pléiade, p. 883); **2.** *Nous* familier, exprimant l'impatience, correspondant au datif éthique; **3.** Les projets qui n'ont pas été réalisés; **4.** Voici un exemple de l'apparente facilité de ce sonnet, la proposition temporelle *quand du stérile hiver a resplendi l'ennui* peut dépendre de *se souvient*, de *se délivre*, de *avoir chanté* ou de *vivre*. Cela donne quatre sens, tous plausibles; **5.** L'espace hante l'esprit du poète, qui essaie de s'en délivrer en le niant. L'association *espace - nie* se trouve déjà dans le sonnet « Quand l'ombre menaça... » cf. p. 47; **6.** Emploi rare au sens de *revêt*.

_____ **QUESTIONS** _____

14. Composition du sonnet. Idée directrice.

— Étudiez la valeur des trois épithètes du premier vers.

— Comparez ce sonnet à *Brise marine* (p. 34). N'est-il pas la réponse héroïque de l'âge mûr à la tentation de la jeunesse?

— Quels sont ces *vols qui n'ont pas fui* (v. 4)?

— L'*espace* (v. 10) n'est-il pas l'équivalent de l'*Azur*?

— Dégagez de ce sonnet une morale ou une esthétique.

— Recherchez trois ternaires. Indiquez-en la valeur.

— Valeur du son *i* dans le corps des vers et à la rime.

Le vierge, le vivace et le bel aujourd'hui
Va-t-il nous déchirer avec un coup d'aile ivre
Ce lac dur oublié que hante sous le givre
Le transparent glacier des vols qui n'ont pas fui !

Un cygne d'autrefois se souvient que c'est lui
Magnifique mais qui sans espoir se délivre
Pour n'avoir pas chanté la région où vivre
Quand du stérile hiver a resplendi l'ennui.

Phot. Larousse.

ÉDITION DES *POÉSIES* DE MALLARMÉ
ILLUSTRÉE PAR BERTHE MORISOT

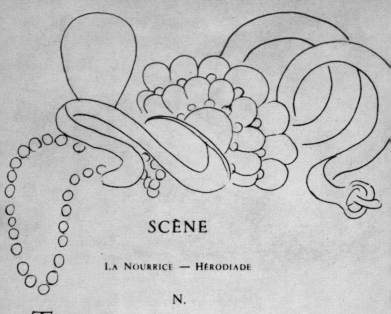

SCÈNE

La Nourrice — Hérodiade

N.

*Tu vis! ou vois-je ici l'ombre d'une princesse?
A mes lèvres tes doigts & leurs bagues & cesse
De marcher dans un âge ignoré..*

H.

*Reculez.
Le blond torrent de mes cheveux immaculés
Quand il baigne mon corps solitaire le glace*

55

Phot. Larousse.

ÉDITION DES *POÉSIES* DE MALLARMÉ (SKIRA, 1932)
ILLUSTRÉE PAR MATISSE

AUTOBIOGRAPHIE (extrait)

L'édition des *Poètes maudits*, qui portait en sous-titre *Poètes absolus*, avait déjà contribué à faire sortir Mallarmé de l'ombre où il vivait depuis vingt ans. Verlaine voulut continuer à jouer ce rôle de héraut qui avait été si efficace, en présentant Mallarmé dans une série illustrée, *les Hommes d'aujourd'hui*, dont Vanier était l'éditeur et qui comportait déjà 295 numéros. Vu leur prix modique, 10 centimes, ces quatre pages, dont la première était ornée d'un portrait-charge, connaissaient une assez large diffusion. Les trois autres pages étaient réservées à un article sur l'écrivain et son œuvre et à quelques textes de cet auteur. Verlaine écrivit à Mallarmé pour lui demander des renseignements biographiques sur Villiers de L'Isle-Adam et sur lui-même. La réponse de Mallarmé date du 16 novembre 1885. Ce sont douze pages écrites au crayon. Elles ont été éditées en fac-similé, en 1924, par Messein, successeur de Vanier. C'est avec ce texte, à peine modifié, que Verlaine composa son article. Le portrait de Mallarmé en faune nimbé, tenant une flûte de Pan, avait été dessiné par Luque. La quatrième page était occupée par le poème en prose *la Gloire*, qui portait dans cette publication le titre suivant : *Notes de mon carnet*, et par le sonnet *Toujours plus souriant...* Ces deux textes étaient inédits. Nous donnons l'*Autobiographie* de Mallarmé, texte d'une importance extrême, puisque c'était la première fois que le poète le plus secret de la littérature française consentait à lever le voile qui cachait sa vie privée et que, soudain loquace, il parlait même d'un projet ambitieux, de la réalisation d'un grand œuvre. Après avoir donné à Verlaine quelques renseignements sur son ami Villiers, il enchaînait :

Je passe à moi.

Oui, né à Paris, le 18 mars 1842, dans la rue appelée aujourd'hui passage Laferrière. Mes familles paternelle et maternelle présentaient depuis la Révolution, une suite ininterrompue de fonctionnaires dans l'Administration et l'Enregistrement; et bien qu'ils y eussent occupé presque toujours de hauts emplois, j'ai esquivé cette carrière à laquelle on me destina dès les langes.

[Suivent quatorze lignes sur un ancêtre qui fut syndic des libraires sous Louis XVI, un autre qui écrivait des vers badins dans l'*Almanach des Muses* et un arrière-petit-cousin qui composa un volume romantique].

Je disais famille parisienne, tout à l'heure parce qu'on a toujours habité Paris; mais les origines sont bourguignonnes, lorraines aussi et même hollandaises.

J'ai perdu tout enfant, à sept ans, ma mère, adoré d'une grand'mère qui m'éleva d'abord : puis j'ai traversé bien des pensions et lycées, d'âme lamartinienne avec un secret désir de remplacer, un jour, Béranger, parce que je l'avais rencontré dans une maison amie. Il paraît que c'était trop compliqué pour être mis à exécution, mais j'ai longtemps essayé dans cent petits cahiers de vers qui m'ont toujours été confisqués, si j'ai bonne mémoire[1].

Il n'y avait pas, vous le savez, pour un poëte à vivre de son art, même en l'abaissant de plusieurs crans, quand je suis entré dans la vie; et je ne l'ai jamais regretté. Ayant appris l'anglais simplement pour mieux lire Poe, je suis parti à vingt ans en Angleterre, afin de fuir, principalement; mais aussi pour parler la langue et l'enseigner dans un coin, tranquille et sans autre gagne-pain obligé : je m'étais marié et cela pressait.

Aujourd'hui, voilà plus de vingt ans et malgré la perte de tant d'heures, je crois, avec tristesse, que j'ai bien fait. C'est que, à part les morceaux de prose et les vers de ma jeunesse et la suite, qui y faisait écho, publiée un peu partout, chaque fois que paraissaient les premiers numéros d'une Revue littéraire, j'ai toujours rêvé et tenté autre chose, avec une patience d'alchimiste, prêt à y sacrifier toute vanité et toute satisfaction, comme on brûlait jadis son mobilier et les poutres de son toit, pour alimenter le fourneau du Grand Œuvre. Quoi ? c'est difficile à dire : un livre, tout bonnement, en maints tomes, un livre qui soit un livre, architectural et prémédité, et non un recueil des inspirations de hasard fussent-elles merveilleuses[2]... J'irai plus loin, je dirai : le Livre, persuadé qu'au fond il n'y en a qu'un, tenté à son insu par quiconque a écrit, même les Génies. L'explication orphique de la Terre, qui est le seul devoir du poëte et le jeu littéraire par excellence : car le rythme même du livre, alors impersonnel et vivant, jusque dans sa pagination, se juxtapose aux équations de ce rêve, ou Ode.

---

1. Remarquons que Mallarmé ne fait aucune allusion au remariage de son père, à la mort de sa jeune sœur, au stage de surnuméraire qu'il dut accomplir; à ses amis de jeunesse Cazalis, Lefébure, Des Essarts; **2.** Aveu capital. Il explique la minceur de l'œuvre de Mallarmé et l'attitude de celui-ci en face de la critique, sa torture intime et enfin l'attente infatigable jusqu'au seuil de la mort.

Voilà l'aveu de mon vice, mis à nu, cher ami, que mille fois j'ai rejeté, l'esprit meurtri ou las, mais cela me possède[1] et je réussirai peut-être; non pas à faire cet ouvrage dans son ensemble (il faudrait être je ne sais qui pour cela!) mais à en montrer un fragment d'exécuté, à en faire scintiller par une place l'authenticité glorieuse, en indiquant le reste tout entier auquel ne suffit pas une vie. Prouver par les portions faites que ce livre existe, et que j'ai connu ce que je n'aurai pu accomplir.

Rien de si simple alors que je n'aie pas eu hâte de recueillir les mille bribes connues, qui m'ont, de temps à autre, attiré la bienveillance de charmants et excellents esprits, vous le premier! Tout cela n'avait d'autre valeur momentanée pour moi que de m'entretenir la main : et quelque réussi que puisse être quelquefois un des [un mot manque] à eux tous, c'est bien juste s'ils composent un album, mais pas un livre[...]

J'ai dû faire, dans des moments de gêne ou pour acheter de ruineux canots, des besognes propres, et voilà tout (Dieux Antiques, Mots Anglais) dont il sied de ne pas parler; mais à part cela les concessions aux nécessités comme aux plaisirs n'ont pas été fréquentes. Si[2] à un moment, pourtant, désespérant du despotique bouquin lâché de moi-même, j'ai après quelques articles colportés d'ici et de là, tenté de rédiger tout seul, toilettes, bijou, mobilier, et jusqu'aux théâtres et aux menus de dîner, un journal *la Dernière Mode*, dont les huit ou dix numéros parus servent encore quand je les dévêts de leur poussière à me faire longtemps rêver.

Au fond je considère l'époque contemporaine comme un interrègne[3] pour le poëte qui n'a point à s'y mêler : elle est trop en désuétude et en effervescence préparatoire pour qu'il y ait autre chose à faire qu'à travailler avec mystère en vue de plus tard ou de jamais et de temps en temps à envoyer aux vivants sa carte de visite, stances ou sonnet, pour n'être point lapidé d'eux, s'ils le soupçonnaient de savoir qu'ils n'ont pas lieu.

---

1. Il faut donner à ce mot son sens magique; 2. Il faudrait une virgule après ce *si*, qui est rectificatif, mais la ponctuation mallarméenne n'est pas toujours orthodoxe; 3. Cette attitude dédaigneuse sera celle de presque tous les jeunes symbolistes. C'est par là qu'ils se sentiront en communauté, en dépit de leurs divergences au point de vue de l'esthétique ou des opinions.

La solitude accompagne nécessairement cette espèce d'attitude : et à part mon chemin de la maison (c'est 89[1], maintenant, rue de Rome) aux divers endroits où j'ai dû la dîme de mes minutes, Lycées Condorcet, Janson de Sailly, enfin Collège Rollin, je vaque peu préférant à tout, dans un appartement défendu par la famille, le séjour parmi quelques meubles anciens et chers, et la feuille de papier souvent blanche. Mes grandes amitiés ont été celles de Villiers, de Mendès, et j'ai, dix ans, vu tous les jours, mon cher Manet, dont l'absence aujourd'hui me paraît invraisemblable[2]! Vos *Poëtes Maudits*, cher Verlaine, *A rebours* d'Huysmans, ont intéressé à mes Mardis longtemps vacants, les jeunes poëtes qui nous aiment (mallarmistes à part) et on a cru à quelqu'influence tentée par moi, là où il n'y a eu que des rencontres. Très affiné, j'ai été dix ans d'avance du côté où de jeunes esprits pareils devaient tourner aujourd'hui.

Voilà toute ma vie dénuée d'anecdotes, à l'envers de ce qu'ont depuis si longtemps ressassé les grands journaux où j'ai toujours passé pour très étrange : je scrute et ne vois rien d'autre, les ennuis quotidiens, les joies, les deuils d'intérieur[3] exceptés. Quelques apparitions partout où l'on monte un ballet, où l'on joue de l'orgue, mes deux passions d'art presque contradictoires, mais dont le sens éclatera, et c'est tout. J'oubliais mes fugues, aussitôt que pris de trop de fatigue d'esprit, sur le bord de la Seine et de la forêt de Fontainebleau, en un lieu le même depuis des années[4] : là je m'apparais tout différent, épris de la seule navigation fluviale. J'honore la rivière qui laisse s'engouffrer dans son eau des journées entières sans qu'on ait l'impression de les avoir perdues, ni une ombre de remords. Simple promeneur en yoles[5] d'acajou, mais voilier avec furie, très fier de sa flottille[...]

(Éditions Gallimard.)

---

1. C'était le 87 quand il s'y installa; **2.** Edouard Manet était mort en 1883; **3.** Allusion à la mort d'Anatole Mallarmé; **4.** Valvins, où le poète loua jusqu'à la fin de sa vie la même petite maison, sur la rive droite de la Seine, à quelques pas du pont qui conduit à la forêt. C'est là qu'il mourut le 9 septembre 1898; **5.** Dans un quatorzain qu'il lui dédia en 1897, Valéry, qui alla souvent voir son Maître à Valvins, parle de « la fluide yole à jamais littéraire ».

NOTES DE MON CARNET

Voulant évoquer la naissance à la gloire d'un Mallarmé presque inconnu à quarante-deux ans, telle qu'en ont été témoins les jeunes poètes de la génération de 1885, nous donnons les deux textes que la double page du n° 296 des *Hommes d'aujourd'hui* diffusa largement, atteignant ainsi pour la première fois les lecteurs les plus divers. Il y avait un poème en prose et un sonnet. Le poème en prose avait été composé peu avant sa publication, puisque, au moment où Mallarmé envoie son *Autobiographie* à Verlaine, il promet à celui-ci d'aller lui porter un jour « un sonnet et une page de prose qu'il va confectionner ces temps, à son intention ». Le poème en prose est né des impressions produites sur l'âme du poète par l'un des nombreux voyages qu'il faisait depuis douze ans entre Paris et sa maison de campagne de Valvins.

La Gloire ! je ne la sus qu'hier, irréfragable[1], et rien ne m'intéressera d'appelé par quelqu'un ainsi.

Cent affiches s'assimilant l'or incompris des jours, trahison de la lettre, ont fui[2], comme à tous confins de la ville, mes yeux au ras de l'horizon par un départ sur le rail traînés avant de se recueillir dans l'abstruse[3] fierté que donne une approche de forêt en son temps d'apothéose[4].

Si discord[5] parmi l'exaltation de l'heure, un cri faussa ce nom comme pour déployer la continuité de cimes tard évanouies, Fontainebleau, que[6] je pensai, la glace du compartiment violentée, du poing aussi étreindre à la gorge l'interrupteur[7] : Tais-toi ! Ne divulgue pas du fait d'un aboi indifférent l'ombre ici insinuée dans mon esprit, aux portières de wagons[8] battant sous un vent inspiré et égalitaire, les touristes omniprésents vomis. Une quiétude menteuse de riches bois suspend alentour quelque extraordinaire état d'illusion[9], que me réponds-tu ? qu'ils ont, ces voyageurs,

---

1. *Irréfragable :* qu'on ne peut récuser ; **2.** Impression du voyageur regardant par la vitre du wagon : c'est le paysage qui semble fuir ; **3.** *Abstrus :* qui est difficile à comprendre ; **4.** L'automne ; **5.** *Discord :* désaccordé, dissonant ; **6.** *Que* consécutif annoncé par *Si discord ;* **7.** Il s'agit de l'employé qui crie le nom de la station ; **8.** Toutes les voitures de cette époque avaient autant de portes que de compartiments ; **9.** Au lieu de cette virgule, on attendrait un point, mais Mallarmé veut donner l'impression de deux états qui s'imbriquent.

pour ta gare aujourd'hui quitté la capitale, bon employé vociférateur par devoir et dont je n'attends, loin d'accaparer une ivresse à tous départie par les libéralités conjointes de la nature et de l'État, rien qu'un silence prolongé le temps de m'isoler de la délégation urbaine vers l'extatique torpeur de ces feuillages là-bas trop immobilisés pour qu'une crise ne les éparpille bientôt dans l'air; voici, sans attenter à ton intégrité, tiens, une monnaie.

Un uniforme inattentif m'invitant vers quelque barrière, je remets sans dire mot, au lieu du suborneur[1] métal, mon billet.

Obéi[2] pourtant, oui, à ne voir que l'asphalte s'étaler net de pas, car je ne peux encore imaginer qu'en ce pompeux octobre exceptionnel du million[3] d'existences étageant leur vacuité[4] en tant qu'une monotonie énorme de capitale dont va s'effacer ici la hantise avec le coup de sifflet sous la brume, aucun furtivement évadé que moi n'ait senti qu'il est, cet an, d'amers et lumineux sanglots, mainte indécise flottaison d'idée désertant les hasards comme des branches, tel frisson et ce qui fait penser à un automne sous les cieux.

Personne[5] et, les bras de doute envolés comme qui porte aussi un lot d'une splendeur secrète, trop inappréciable trophée pour paraître! mais sans du coup m'élancer dans cette diurne veillée d'immortels troncs au déversement sur un d'orgueils surhumains (or ne faut-il pas qu'on en constate l'authenticité[6]?) ni passer le seuil où des torches[7] consument, dans une haute garde, tous rêves antérieurs[8] à leur éclat répercutant[9] en pourpre dans la nue l'universel sacre de

---

1. Exemple de cette tendance des symbolistes à faire l'inversion de l'épithète, même longue et lourde; **2.** Ellipse : j'attendais l'effet de ma requête sans grande illusion et, à mon grand étonnement, je constate qu'on m'a obéi; **3.** Forte inversion du complément de *aucun;* **4.** Dans les immeubles de rapport, les familles se superposent; **5.** Ici commence une phrase de treize lignes où l'on trouve un écartement exceptionnellement grand : *Personne et... j'attendis;* **6.** Mot cher à Mallarmé : la valeur indubitable; **7.** Les rosiers grimpants en pleine floraison; **8.** Idée platonicienne; **9.** Ce ciel rougi par le couchant, le poète le dit rougi par les roses. Le regard du poète qui rapproche les roses et le ciel rouge fait que les roses de ce petit jardin semblent capables de colorer le ciel.

l'intrus royal[1] qui n'aura eu qu'à venir : j'attendis, pour
l'être[2], que lent et repris du mouvement ordinaire, se
réduisît à ses proportions d'une chimère puérile[3] emportant
du monde quelque part, le train qui m'avait là déposé seul.

(Éditions Gallimard.)

SONNET

Voici, dans la version que purent lire les acheteurs de la petite
feuille à 10 centimes, le sonnet composé par Mallarmé peu avant
son envoi, sauf les deux derniers vers, qui se trouvaient déjà dans
une des ébauches de l'ouverture d'*Hérodiade*, suivant une révélation faite par le docteur Bonniot. Le poème ne portait que le
simple titre *Sonnet*. M. Camille Soula, l'un de ses commentateurs, l'a baptisé : *le Sonnet de l'Amour et de la Mort*.

Toujours plus souriant au désastre[4] plus beau,
Soupirs de sang, or meurtrier, pâmoison, fête !
Une millième fois avec ardeur s'apprête
Mon solitaire amour à vaincre le tombeau[5].

5 Quoi ! de tout ce coucher, pas même un cher lambeau
Ne reste, il est minuit, dans la main du poëte
Excepté qu'un trésor trop folâtre de tête
Y verse sa lueur diffuse sans flambeau[6] !

---

1. Ce voyageur qui paraît un intrus, parce qu'il est seul, est accueilli avec
des honneurs royaux; **2.** Pour être cet intrus royal; **3.** Poëte de l'espace,
Mallarmé joue avec les atténuations de la réalité que provoque l'éloignement;
4. Mot par lequel le poète désigne la mort et le coucher du soleil qu'il assimile
à un suicide (voir sonnet suivant); **5.** Chaque nuit ressemble à la mort. Sonnet
de la mort du jour qui fait pendant au sonnet du Cygne; **6.** La chevelure,
thème mallarméen, emprunté à Baudelaire, la chevelure, telle la tenture, qui
ferme la fenêtre ouverte sur l'angoisse métaphysique : néant, éternité, hasard,
apparaît dès les poèmes de l'époque baudelairienne (*Angoisse*, *Tristesse d'été*,
Apparition, *Placet futile*), puis dans *Hérodiade*. Le rôle de la chevelure est
bien précisé dans un état inédit du sonnet *Quelle soie aux baumes de temps...*,
publié en novembre 1946 par Eileen Souffrin dans la revue *Fontaine* : « *Moi
qui vis parmi les tentures — Pour ne pas voir le Néant seul — Aimeraient ce
divin linceul — Mes yeux las de ces sépultures...* » Le thème se charge d'une
valeur nouvelle, affective, à partir de la rencontre du poète et de la blonde
Méry Laurent. C'est elle qui est chantée dans ce sonnet, ainsi que dans les
sonnets qui vont bientôt le suivre : *La chevelure*, *O si chère de loin...*, *Quelle
soie aux baumes de temps...*

   La tienne, si toujours frivole ! c'est la tienne
10 Seul gage qui des soirs évanouis retienne
   Un peu de désolé combat en t'en coiffant

   Avec grâce, quand sur les coussins tu la poses
   Comme un casque guerrier[1] d'impératrice enfant
   Dont pour te figurer[2], il tomberait des roses. (15)

(Éditions Gallimard.)

Quand, l'année suivante (1887), Mallarmé publie ce sonnet dans la belle édition de luxe photolithographique, il en a retouché tous les vers, sauf les deux derniers, auxquels il tient sans doute à cause de leurs liens avec le poème d'Hérodiade. La comparaison des deux états est très intéressante. Le second possède une coloration plus puissante et l'introduction des mots *suicide*, *tempête*, *rire*, *absent*, *seule* correspond à l'intention de dramatiser cette scène.

   Victorieusement fui le suicide beau
   Tison de gloire, sang par écume, or, tempête !
   O rire[3] si là-bas une pourpre s'apprête
   A ne tendre royal que mon absent tombeau.

5 Quoi ! de tout cet éclat pas même le lambeau
   S'attarde[4], il est minuit, à l'ombre qui nous fête
   Excepté qu'un trésor présomptueux de tête
   Verse son caressé[5] nonchaloir[6] sans flambeau,

   La tienne si toujours le délice ! la tienne
10 Oui seule qui du ciel évanoui retienne
   Un peu de puéril triomphe en t'en coiffant

---

1. Cette image de métal apparaît dans *Hérodiade* ; **2.** Sens étymologique : représenter ta figure, ton visage; **3.** Rire amer; **4.** Suppression de plus en plus fréquente dès lors de la négation *ne* ; **5.** Un des nombreux exemples où l'on voit les symbolistes remplacer le participe présent actif par le participe passé passif; **6.** *Nonchaloir*, vieux mot repris par Baudelaire et adopté par les symbolistes : indolence, mais le mot passe du sens moral au sens impressionniste.

───── **QUESTIONS** ─────

15. Comparez les deux états du sonnet : *Toujours plus souriant...* et *Victorieusement fui...*
— Comparez la fin du sonnet avec la fin d'*Apparition* (p. 22).

Avec clarté[1] quand sur les coussins tu la poses
Comme un casque guerrier d'impératrice enfant
Dont pour te figurer il tomberait des roses.

(Éditions Gallimard.)

LE « MANIFESTE DU SYMBOLISME »
DE JEAN MORÉAS (18 septembre 1886)
[extrait]

Jean Moréas, âgé de trente ans en 1886, est l'aîné des jeunes symbolistes qui ont publié leur premier recueil de vers en 1885 et qui ont alors vingt-trois ou vingt-quatre ans. Admirateur de Verlaine et de Mallarmé, il se préfère cependant à eux et ne consent pas à être leur disciple. Il est leur émule en attendant le moment de devenir soit le chef de l'école symboliste, soit le fondateur d'une école nouvelle. Il cherche toutes les occasions d'attirer l'attention sur lui. En voici une. Un détracteur de la nouvelle école, nommé Paul Bourde, a écrit dans *le Temps* du 6 avril 1886 un article contre Mallarmé. Moréas lui répond dans le supplément littéraire du *Figaro* du 18 septembre 1886. Cette réponse est un véritable manifeste, dont le ton hardi et pédantesque n'est pas sans rappeler celui de la *Défense et Illustration de la langue française*. En voici le passage essentiel. C'est à partir de ce « Manifeste » que les mots « symbolisme », « symbolistes », qui coexistaient avec ceux de « décadentisme », « décadisme », « décadents », finissent par l'emporter sur leurs rivaux.

[...] Ennemie de l'enseignement, la déclamation, la fausse sensibilité, la description objective, la poésie symboliste cherche à vêtir l'idée d'une forme sensible qui néanmoins ne serait pas son but à elle-même, mais, tout en servant à exprimer l'idée, demeurerait sujet. L'idée à son tour ne doit pas se laisser voir privée des analogies extérieures ; car le caractère essentiel de l'art symbolique consiste à ne jamais aller jusqu'à la conception de l'idée en soi. Quant aux phénomènes, ils ne sont que les apparences sensibles destinées à représenter leurs affinités ésotériques avec les idées primordiales[...] Pour la traduction exacte de sa synthèse, il faut au symbolisme un style archétype et complexe : d'impollués vocables, la période qui s'arcboute alternant avec la période aux défaillances ondulées, les pléonasmes significatifs, les mystérieuses ellipses, l'anacoluthe en suspens,

---

1. A rapprocher du « chapeau de clarté » d'*Apparition* (cf. p. 22).

tout trope hardi et multiforme : enfin la bonne langue instaurée et modernisée, la bonne et luxuriante et fringante
langue française d'avant les Vaugelas et les Boileau, la
langue de François Rabelais et de Philippe de Commines,
de Villon, de Rutebœuf[1] et de tant d'autres écrivains libres
et dardant le terme exact du langage, tels des toxotes de
Thrace leurs flèches sinueuses[...] L'ancienne métrique avivée, un désordre savamment ordonné, la rime illucescente,
et martelée comme un bouclier d'or et d'airain, auprès de
la rime aux fluidités absconses[2]; l'alexandrin à arrêts
multiples et mobiles; l'emploi de certains nombres impairs[...]

LE VERS LIBRE : JULES LAFORGUE

Au moment où Moréas réclame une métrique « avivée », le
vers libre est déjà né. Avant de mourir, **Jules Laforgue**
donne à ses derniers vers des longueurs très diverses, allant
de 2 à 19 syllabes. De plus, ils sont souvent assonancés au lieu
de rimer. La mort retardera de quelques années la publication
de ces vers. Gustave Kahn, ami de Laforgue, publie en 1887
un recueil de poèmes en vers libres, *les Palais nomades :* il reven-
dique la paternité de cette nouvelle versification. En réalité,
l'idée était depuis plusieurs années dans l'air et avait même été
déjà expérimentée, treize ans auparavant, par Rimbaud dans deux
courts poèmes, intitulés l'un *Marine* et l'autre *Mouvement* (cf. « Classiques Larousse », p. 44-45), mais ces poèmes n'étaient pas connus
en 1887. Ils ne seront publiés qu'en 1895, dans les *Poésies complètes*
que Verlaine éditera chez Vanier, quatre ans après la mort de
Rimbaud.

Laforgue admirait beaucoup Mallarmé. Ayant vécu à l'étranger,
sauf dans les derniers mois de sa vie, il ne put être un des « mardistes », mais il écrivit à l'auteur d'*Hérodiade* une lettre qui déter-
mina sans doute celui-ci à réunir et à publier son œuvre
éparse. « Quand pourrons-nous, lui disait-il, de Coblence, le
10 novembre 1885, avoir, à nous, dûment rassemblé et fixé, le
trésor de vos poèmes en vers et en prose, pour les étudier, les
goûter par tous les temps, les emporter, etc., pour nous faire
enfin humainement et d'un jet idée de qui vous êtes ? » La place
de Laforgue parmi les disciples de Mallarmé est donc tout indi-
quée. Voici le dernier poème de celui qui, né à Montevideo en

---

1. De cette tendance naîtra dans quelques années (1891) l'école romane,
dont Moréas sera le chef; **2.** Ce style ampoulé, employé par certains symbolistes, en particulier par Napoléon Roynard, nuira à la réputation de l'ensemble
des symbolistes, qui seront couramment traités de « fumistes ».

1860, mourut à Paris en 1887, âgé seulement de vingt-sept ans. Thème fréquent parmi les symbolistes, qui sont d'une jeunesse vieille et ardente à la fois : la monotonie de l'existence, l'irrésistible ironie à l'égard de tout et de soi-même, la recherche inquiète de l'absolu peuvent-elles être guéries par un amour sincère ?

Noire bise, averse glapissante,
et fleuve noir, et maisons closes,
et quartiers sinistres comme des Morgues,
et l'Attardé[1] qui à la remorque traîne
toute la misère du cœur et des choses,
et la souillure des innocentes qui traînent,
et crie à l'averse. « Oh! arrose, arrose
mon cœur si brûlant, ma chair si intéressante. »

Oh! elle[2], mon cœur et ma chair, que fait-elle ?...
Oh! si elle est dehors par ce vilain temps,
de quelles histoires trop humaines rentre-t-elle ?
Et si elle est dedans,
à ne pas pouvoir dormir par ce grand vent
pense-t-elle au Bonheur,
au bonheur à tout prix
disant : tout plutôt que mon cœur reste ainsi incompris ?

Soigne-toi, soigne-toi! pauvre cœur aux abois.

Langueurs, débilité, palpitations, larmes,
oh! cette misère de vouloir être notre femme[3]!

O pays, ô famille!
et l'âme toute tournée
d'héroïques destinées
au-delà des saintes vieilles filles,
et pour cette année!

Nuit noire, maisons closes, grand vent,

---

1. Laforgue s'est dit « décadent », étant mort avant que le titre de « symboliste » se fût imposé. Il est imprégné de philosophie allemande et se sent trop vieux, « fin de siècle », même plus, « fin de civilisation »; **2.** Pourquoi la nommer ? C'est « elle ». Il ne la connaît pas. Il aspire à la rencontrer; **3.** Une imagination et une sensibilité trop vives font imaginer au jeune poète la vie recluse de celle qu'il aime sans l'avoir rencontrée. Il la voit semblable à ces orphelines en uniforme qui passent dans son œuvre.

oh! dans un couvent, dans un couvent!

Un couvent dans ma ville natale
douce de vingt mille âmes à peine,
entre le lycée et la préfecture
et vis-à-vis la cathédrale,
avec ces anonymes en robes grises,
dans la prière, le ménage, les travaux de couture;
Et que cela suffise...
Et méprise sans envie
tout ce qui n'est pas cette vie de Vestale
provinciale,
et marche à jamais glacée,
les yeux baissés.

Oh! je ne puis voir ta petite scène fatale à vif,
et ton pauvre air dans ce huis clos,
et tes tristes petits gestes instinctifs,
et peut-être incapable de sanglots!

Oh! ce ne fut pas et ce ne peut être,
oh! tu n'es pas comme les autres,
crispées aux rideaux de leur fenêtre
devant le soleil couchant qui dans son sang se vautre!
oh! tu n'as pas l'âge,
oh! dis, tu n'auras jamais l'âge,
oh! tu me promets de rester sage comme une image?...

La nuit est à jamais noire,
le vent est grandement triste,
tout dit la vieille histoire
qu'il faut être deux au coin du feu,
tout bâcle un hymne fataliste,
mais toi, il ne faut pas que tu t'abandonnes,
à ces vilains jeux!...

à ces grandes pitiés du mois de novembre!
Reste dans ta petite chambre,
passe, à jamais glacée,
tes beaux yeux irréconciliablement baissés.

Oh! qu'elle est là-bas, que la nuit est noire!

que la vie est une étourdissante foire!
que toutes sont créature, et que tout est routine!

Oh! que nous mourrons!

Eh bien, pour aimer ce qu'il y a d'histoires
derrière ces beaux yeux d'orpheline héroïne,
ô Nature, donne-moi la force et le courage
de me croire en âge,
ô Nature, relève-moi le front!
puisque, tôt ou tard, nous mourrons...

(Éditions Mercure de France).

LE VERS LIBRE : GUSTAVE KAHN

Gustave Kahn, né à Metz en 1859, fut le premier jeune poète
à venir aux mardis de Mallarmé. A partir de 1887, il devint un
des champions du vers libre, sur lequel il prétendait réclamer en
quelque sorte des droits d'inventeur que d'autres lui contestèrent.
Quoi qu'il en soit, il se dévoua à la cause du symbolisme et la
servit vaillamment, tant par ses œuvres poétiques que par les
articles qu'il publia dans les revues symbolistes. Voici un poème
en vers libres tiré des *Palais nomades*, parus en 1887.

Choses vindicatrices, passés cruels[1], ombres passées,
sur le maintenant peureux vous vous vengez
et détruisez en sa fleur pâle le bonheur triste.

Passés, vous dressez devant l'élan désespéré
le mur de ouate, le mur de brume, d'autres défaites;
mémoires, vous redites la nuit froide, les soirs de victoires,
    les soirs de victoires inutiles et futiles;
mémoires, vous défaites d'un doigt lassé des colliers de fêtes.

Ombre, vous vous levez et dites : c'est encore moi,
le même moi tant caressé et dans mes tresses les mêmes
    [émois :

---

1. Le symbolisme est une étude de la vie psychologique, une recherche
des causes de la tristesse et de l'ennui. Beaucoup de symbolistes soulignent
le rôle néfaste de la mémoire, qui rend l'âme vieille, qui fait apparaître la
monotone répétition des actes. Kahn a subi l'influence de son ami Laforgue,
lequel poussa un jour ce gémissement : « Ah! que la Vie est quotidienne. »

mes mains de nues comme autrefois
descendront vers ton cœur profond
et ne se poseront qu'à ton front
pour l'essor d'un fou désir orienté vers autrefois.

Ah! regards inutiles, vous redites
le même lent accueil au seuil de mon palais,
le palais vacillant vers les ombres passées.

(Éditions Stock.)

MALLARMÉ EN 1887 : DEUX SONNETS

L'année 1887 est importante dans la vie de Mallarmé et dans les destinées du symbolisme : apparition du vers libre, que Mallarmé ne veut pas condamner, mais qui le trouble au plus haut point. Avec ce retard bien mallarméen qui caractérise toute sa vie, il s'écriera sept ans après, en 1894, dans une conférence faite à Oxford devant un public choisi : « J'apporte en effet des nouvelles. Les plus surprenantes. Même cas ne se vit encore. On a touché au vers. Les gouvernements changent : toujours la prosodie reste intacte... Il convient d'en parler déjà, ainsi qu'un invité voyageur tout de suite se décharge par traits haletants du témoignage d'un accident su et le poursuivant : en raison que le vers est tout, dès qu'on écrit... » S'il laisse libres ses disciples, il préfère garder les contraintes et même les aggraver par ses scrupules. Les sonnets de cette dernière période de sa vie, généralement en octosyllabes, sont les plus resserrés, les plus elliptiques que le poète ait jamais composés. Ils sont travaillés au point d'en perdre le rayonnement qui irradie des poèmes écrits au temps de la solitude. C'est en 1887 que Mallarmé se décide à publier à 500 exemplaires l'Après-midi d'un faune et à faire une édition de luxe photolithographiée à 47 exemplaires de ses Poésies, dans laquelle se trouvent deux sonnets nouveaux, composés depuis peu et révélant cette tension esthétique dont nous venons de parler.

Une dentelle s'abolit
Dans le doute du Jeu suprême[1]
A n'entr'ouvrir comme un blasphème
Qu'absence[2] éternelle de lit.

---

1. Il s'agit de la naissance du jour; **2.** Absence de destination (il n'y a pas de lit) rapprochée de l'absence à laquelle il est fait allusion à la fin du sonnet, celle de la création poétique.

Bois ornant
l'édition
originale de
1876 de
l'Après-midi
d'un faune,
illustrée par
Édouard Manet.

Phot. Larousse.

STÉPHANE MALLARMÉ — H. DE RÉGNIER — FRANCIS
VIELLE GRIFFIN — UN JEUNE DE BEAUCOUP D'AVE-
NIR — PAUL FORT — SAINT-GEORGES DE BOUHÉLIER.

Caricatures faites par Ernest La Jeunesse (1874-1917), humoriste ami des
symbolistes. Il s'est lui-même représenté sous les traits d'« un Jeune
de beaucoup d'avenir ».

5 Cet unanime blanc conflit[1]
D'une guirlande avec la même[2],
Enfui contre la vitre blême
Flotte plus qu'il n'ensevelit.

Mais, chez qui[3] du rêve se dore
10 Tristement dort une mandore[4]
Au creux néant musicien

Telle que vers quelque fenêtre
Selon nul ventre que le sien,
Filial on aurait pu naître. (**16**)

(Éditions Gallimard.)

Dans le poème ci-dessus, l'absence s'impose au poète comme une épreuve. Dans celui que nous donnons maintenant, c'est le poète lui-même qui crée l'absence parce que la chose rêvée est plus émouvante que la réalité qui s'impose. « La vie n'est rien que ce que nous tirons de nous et sommes presque sans elle. » (*Vie de Mallarmé* par H. Mondor, p. 736.)

---

1. Fouillis des dentelles du rideau; **2.** Avec la même guirlande reflétée par la vitre; **3.** Chez celui chez qui; **4.** Ancien luth à quatre cordes, dont le nom se rencontre déjà dans le poème *Sainte* (éd. de la Pléiade, p. 53) : « Jadis avec flûte et mandore. » On peut également rapprocher de ce vers un passage de « Crise de vers » : « Toute âme est une mélodie, qu'il s'agit de renouer; et pour cela, sont la flûte et la viole de chacun. » (Éd. de la Pléiade, p. 363.)

——— QUESTIONS ———

16. Cette chambre est-elle vue de l'intérieur ou de l'extérieur ? Ou y a-t-il double description, du dehors, puis du dedans ?
— De quelle dentelle s'agit-il ?
— Quel est *le doute du Jeu suprême* (v. 2)? Mallarmé, auteur d'une mythologie, *les Dieux antiques*, ne fait-il pas allusion à des terreurs ancestrales ?
— Quelle valeur concrète prend ici l'épithète *unanime* (v. 5)?

15 Mes bouquins[1] refermés sur le nom de Paphos[2],
Il[3] m'amuse d'élire avec le seul génie[4]
Une ruine[5], par mille écumes bénie
Sous l'hyacinthe[6], au loin, de ses jours triomphaux.

Coure[7] le froid avec ses silences de faux[8],
20 Je n'y hululerai pas de vide nénie[9]
Si ce très blanc ébat[10] au ras du sol dénie
A tout site l'honneur du paysage faux.

Ma faim qui d'aucuns fruits ici ne se régale
Trouve en leur docte[11] manque une saveur égale :
25 Qu'un[12] éclate de chair humain et parfumant!

Le pied sur quelque guivre[13] où notre amour tisonne,
Je pense plus longtemps peut-être éperdûment
A l'autre[14], au sein brûlé[15] d'une antique amazone[16]. (17)

(Éditions Gallimard.)

---

1. Mot d'ordinaire familier, ici revalorisé, employé pour désigner de vieux livres dont on s'est beaucoup servi; 2. *Paphos* : ville dont la fondation est attribuée aux Amazones. Elle est située sur la côte est de l'île de Chypre; 3. Par cet emploi de l'impersonnel, le poète veut montrer son détachement à l'égard de son propre exercice d'abolition; 4. *Génie* : ici, talent, esprit inventif; 5. Diérèse; 6. *Hyacinthe* : couleur d'un bleu tirant sur le violet; 7. Subjonctif de défi. Le poète consent que cette vision soit effacée par la réalité de l'hiver qui investit sa chambre; 8. Les silences qui séparent les sifflements de la bise analogues au rythme d'une fauchaison d'herbe; 9. *Nénie* : lamentation. Mot savant employé d'ordinaire au pluriel; 10. La danse des flocons de neige. Cette expression est un bel exemple de la répugnance qu'éprouvent les symbolistes pour une vision analytique de la réalité. Ils préfèrent souvent l' « impression » produite par le mouvement et par la couleur à la description objective; 11. On pense à la *Prose pour Des Esseintes*; cf. p. 58 : « Et docte déjà par chemins »; 12. Un (fruit) de chair; 13. *Guivre* : terme de blason désignant le serpent. Il s'agit ici d'un ornement de chenet; 14. A l'autre (fruit); 15. L'amazone (*a* privatif, *mazon*, mamelle) était une femme guerrière qui se brûlait, dit-on, le sein droit afin de tirer de l'arc avec plus de facilité; 16. *Amazone* rappelle Paphos fondée par une amazone. Le poème se clôt; la dernière rime ferme le circuit des associations ouvert par la première.

--------- QUESTIONS ---------

17. Sonnet très savant. Étudiez-en la structure cyclique, l'érudition. Quels conflits sont énumérés ? N'en peut-on dégager une hiérarchie des valeurs ?
— Commentez *docte manque* (v. 24). Cette antithèse ne contient-elle pas toute la doctrine de la poésie pure ?

STUART MERRILL

Le symbolisme explore tout le champ du possible. Il ne s'oppose pas au Parnasse seul, mais à toutes les écoles antérieures. Parfois, il trouve du nouveau, parfois il se contente d'introduire des procédés appartenant à des poétiques étrangères... L'un des « mardistes », **Stuart Merrill,** Américain qui est retourné momentanément vivre dans son New York natal, après avoir fait ses études en France et avoir eu pour condisciples à Condorcet Ephraïm Mickhaël, Pierre Quillard, René Ghil, Rodolph Darzens, publie en 1887, à Paris, un livre dont le titre même, *les Gammes,* annonce l'intention de l'auteur de reprendre à la musique son bien. La poésie anglo-saxonne emploie depuis son origine l'allitération d'une façon très courante. Le poème suivant montre à la fois les possibilités et les limites, vite atteintes, de ce procédé dans la poésie française.

NOCTURNE

La blême lune allume en la mare qui luit,
Miroir des gloires d'or, un émoi d'incendie.
Tout dort. Seul, à mi-mort, un rossignol de nuit
Module en mal d'amour sa molle mélodie.

5 Plus ne vibrent les vents en le mystère vert
Des ramures. La lune a tu leurs voix nocturnes :
Mais à travers le deuil du feuillage entrouvert
Pleuvent les bleus baisers des astres taciturnes.

La vieille volupté de rêver à la mort
10 A l'entour de la mare endort l'âme des choses,
A peine la forêt parfois fait-elle effort
Sous le frisson furtif de ses métamorphoses.

Chaque feuille s'efface en des brouillards subtils
Du zénith de l'azur ruisselle la rosée
15 Dont le cristal s'incruste en perles aux pistils
Des nénuphars flottant sur l'eau fleurdelisée.

Rien n'émane du noir, ni vol, ni vent, ni voix,
Sauf lorsqu'au loin des bois, par soudaines saccades
Un ruisseau turbulent croule sur les gravois :
20 L'écho s'émeut alors de l'éclat des cascades.

(Éditions Messein.)

CHARLES MORICE :
LA LITTÉRATURE DE TOUT À L'HEURE

COMMENTAIRE D'UN LIVRE FUTUR

En 1889 paraît le premier ouvrage important sur le mouvement symboliste : *la Littérature de tout à l'heure*, de **Charles Morice**, poète et critique, âgé de vingt-huit ans. Il joue un rôle très actif depuis les premières années du symbolisme, puisqu'il a fondé, avec Léo Trézenik, le premier journal de la nouvelle école, *Lutèce*. Nous extrayons de son livre des pages pleines d'optimisme où résonnent, semble-t-il, des échos des célèbres monologues que Charles Morice écouta maint mardi soir rue de Rome; mais il schématise trop, il ne sait pas sauvegarder cette aura de mystère que le Maître créait devant son jeune auditoire silencieux. Cependant, tel quel, le livre *la Littérature de tout à l'heure* fit une forte impression sur les adversaires comme sur les amis du symbolisme, à cause du ton imperturbable de l'auteur. On fonda dès lors beaucoup d'espoirs sur lui. Il préparait, disait-on, une pièce de théâtre qui assurerait le triomphe de la nouvelle école dans l'art dramatique, mais, lorsque *Chérubin* fut joué au Vaudeville en 1891, ce fut un ratage qui déclencha le déclin de l'école.

En attendant que la Science ait décidément conclu au Mysticisme, les intuitions du Rêve y devancent la Science, y célèbrent cette encore future et déjà définitive alliance du Sens Religieux et du Sens scientifique dans une fête[1] esthétique où s'exhale le désir très humain d'une réunion de toutes les puissances humaines par un retour à l'originelle simplicité.

Ce retour à la simplicité, c'est tout l'Art. Le Génie consiste — comme l'Amour et comme la Mort — à dégager des accidents, des habitudes, des préjugés, des conventions et de toutes les contingences l'élément d'éternité et d'unité qui luit, au-delà des apparences, au fond de toute essence humaine.

Le singulier, l'unité, c'est le nombre affirmatif et divin. Le pluriel décompose et nie. Les grandes époques artistiques disent : l'Art. Les époques médiocres disent : les arts. Les grandes époques sont au commencement et à la

---

1. Voici un mot mallarméen (voir p. 47) qui pourrait servir à prouver que Morice n'a fait que répéter une leçon écoutée rue de Rome : « Que s'est d'un astre en fête allumé le génie. »

fin des sociétés : d'abord le Poète embrasse le monde d'un seul regard et d'une seule pensée et, ce qu'il pense, l'exprime par un seul geste. Puis les détails le sollicitent, et de simultanée, l'expression se fait successive. Pour cette tâche d'analyse, le Poète, naguère le conducteur d'hommes aussi, et le prêtre encore, divise sa propre personnalité, descend du trône, quitte l'autel : le Poète devient l'artiste. Mais l'artiste lui-même se partage; peu à peu le symbole admirable de la Lyre se démode, garde un sens d'autrefois dans le chant silencieux des vers, enfin l'efface, et l'artiste devient l'artisan de la littérature, l'artisan de la musique, l'artisan de la peinture... C'est la période de division et de médiocrité. Mais peu à peu l'analyse, lassée d'elle-même, laisse l'artisan se ressouvenir de l'artiste, et l'artiste, dans un passé très antique, parvient à entrevoir la figure quasi-divine du Poète. Alors va naître une grande époque nouvelle et dernière, et, comme l'analyse en avait détourné les arts, la synthèse va rendre l'Art à la primitive et centrale Unité. Toujours faut-il compter, toutefois, avec les éléments d'éphémère qui constituent la vie, avec l'espace et avec le temps. L'espace et le temps scindent fatalement l'Art en deux groupes : le groupe arithmétique de la Poésie et de la Musique, le groupe géométrique de la Peinture, de l'Architecture et de la Sculpture. La fusion des deux groupes en l'unité parfaite, le son et la lumière retournent à l'unique et première vibration : conception surhumaine et, sauf en Dieu, impossible. Mais les deux groupes constituent deux effets de la même idéale clarté. Ils ont une double unité, de cause et d'effet, d'origine et de fin, — une double unité, pourrais-je dire, centrale et périphérique, — dans la pensée commune du Poète et de ses témoins. Car ces périodes de concentration artistique coïncidant, providentiellement, avec les décadences des évangiles, le Poète y reprend son rôle sacerdotal des premiers jours[1]; ce que disent le Musicien et le Peintre, en ces heures de synthèse, c'est le fond des désirs et des croyances de toute l'humanité; c'est toute l'humanité elle-même dans la triple réalité de ses pensées, de ses sentiments et de ses

---

1. Encore un écho des conversations de Mallarmé. Celui-ci traitera en 1895 de ce sujet, qui lui tenait à cœur, à savoir la relève du catholicisme déclinant par les Arts, dans trois articles : *Plaisir sacré*, *Catholicisme*, *De même* (voir éd. de la Pléiade, p. 388 à 397).

sensations; la parole du Musicien et la parole du Peintre proclament les mêmes affirmations, et dans la belle image que le Poète impose aux esprits par les sens, les distinctions de l'expression artistique, immédiate, s'atténuent : le Vers évoque des visages et des paysages dans l'admiration qui écoute; la Couleur évoque des poèmes et des symphonies dans l'admiration qui regarde. Synthèse dans la Pensée, dans l'Idée et dans l'Expression. Art métaphysique. Religion esthétique, religion suprême.

(Éditions Librairie académique Perrin.)

GEORGES RODENBACH

Plusieurs poètes belges s'illustrèrent dans le mouvement symboliste. La plupart d'entre eux vinrent vivre en France pour rester en contact avec les milieux littéraires de Paris, mais ils choisirent leurs sujets parmi ceux que leur offrait la vie belge. Voici **Georges Rodenbach,** le poète de Bruges, cité qui reflète les façades de ses quais dans des canaux morts. En 1888, il édite une plaquette intitulée *Du silence.* On y découvre, grâce à un parallélisme systématique, d'une façon plus nette que chez les autres symbolistes, qui, eux, préfèrent dissimuler le procédé, le secret d'une poétique des correspondances. « Le symbole est ce que je vois. » Cette formule de Gide, Rodenbach l'applique déjà en 1888 en donnant à *que* (l'objet) la priorité sur *je.* Ainsi, *que* permet d'évoquer *je* au moyen d'impressions personnelles et, à son tour, *je* permet d'évoquer *que,* au moyen d'impressions intérieures. Le rythme et la structure de l'alexandrin viennent renforcer ce parallélisme. G. Rodenbach est un symboliste fidèle à la prosodie stricte.

Douceur du soir! Douceur de la chambre sans lampe!
Le crépuscule est doux comme la bonne mort
Et l'ombre lentement qui s'insinue et rampe
Se déroule en fumée au plafond. Tout s'endort[1].

5 Comme une bonne mort sourit le crépuscule[2]
Et dans le miroir terne, en un geste d'adieu,
Il semble doucement que soi-même on recule,
Qu'on s'en aille plus pâle et qu'on y meure un peu.

---

1. Le monde extérieur est donné en impressions intérieures : *douceur doux, lentement, s'endort ;* **2.** Ce vers reprend certains détails du premier quatrain pour y relier le second quatrain, où l'évocation du monde intérieur se fait par une impression sensorielle : l'image de soi-même dans un miroir s'éteignant peu à peu.

Sur les tableaux pendus aux murs, dans la mémoire[1]
10 Où sont les souvenirs en leurs cadres déteints,
Paysages de l'âme et paysages peints,
On croit sentir tomber comme une neige noire.

Douceur du soir! Douceur qui fait qu'on s'habitue
A la sourdine, aux sons de viole assoupis;
15 L'amant entend songer l'amante qui s'est tue[2]
Et leurs yeux sont ensemble aux dessins du tapis[3].

Et langoureusement la clarté se retire;
Douceur! Ne plus se voir distincts. N'être plus qu'un!
Silence! deux senteurs en un même parfum :
20 Penser la même chose et ne pas se le dire. (**18**)

(Éditions Fasquelle.)

RENÉ GHIL

René Ghil fut un des premiers « mardistes ». Il publia en 1886 un *Traité du Verbe* où il exposait une théorie baptisée par lui l'*instrumentation verbale*. C'était un élargissement à toutes les lettres de l'alphabet des correspondances indiquées dans son sonnet des voyelles par Rimbaud, avec lequel, d'ailleurs, il n'était pas complètement d'accord pour les correspondances de toutes les voyelles. Mallarmé, qui avait fait une étude analogue dans ses *Mots anglais*, publiés en 1877 (cf. éd. de la Pléiade, p. 919 et suiv.), s'enthousiasma de ces recherches et accepta même de présenter la théorie dans un *Avant-Dire* où il marquait la distinction entre le langage qui sert à la vie pratique et celui des poètes. Ces idées, Mallarmé les reprendra en 1896 dans un article, « Crise de vers ».

-----

1. Dans le troisième quatrain la ressemblance et la coexistence des deux mondes sont soulignées : *paysages de l'âme et paysages peints;* **2.** Maintenant, ce sont les sensations auditives qui évoquent le monde intérieur; **3.** Un second aspect du symbole est l'union de deux êtres qui sont conscients de vivre en même temps le même état de conscience. Cette idée d'unité par le regard se parfait dans l'unité audio-visuelle des ténèbres silencieuses (dernier quatrain).

----- **QUESTIONS** -----

18. Étudiez les progrès des ténèbres d'un bout à l'autre du poème.
— Étudiez l'évolution des sensations visuelles et leur remplacement par des sensations auditives.
— Quelle impression le poète a-t-il voulu rendre? Quels procédés a-t-il employés pour atteindre son but?

La théorie de Ghil eut un grand retentissement en France et même au-delà des frontières. Ghil fut regardé comme un des poètes symbolistes d'avenir. En 1889, Auguste Morcade écrit dans *le Figaro* : « Voici donc le dénombrement des principales publications où se formulent et sont pratiquées les théories de la nouvelle et remuante école dont les prophètes sont MM. Stéphane Mallarmé, Paul Verlaine et René Ghil. » Cependant, ce dernier ne parvenait pas à grouper autour de lui les jeunes poètes, parce que sa théorie était trop systématique. La philosophie même qu'il voulait exprimer dans cette langue orchestrée était construite d'une façon aussi systématique : l'humanité est conduite vers le Mieux par des forces qui régissent l'ensemble de l'Évolution. Mallarmé était trop individualiste et trop nuancé pour adhérer à une doctrine aussi intransigeante. Il pensait que la société serait sauvée par quelques hommes qui auraient retrouvé l'éden oublié, ce mot d'*éden* étant pris dans le sens de pureté originelle. Le désaccord, longtemps latent, aboutit à une rupture, la seule que ce Maître si bon ait voulue vraiment. Le professeur Mondor a raconté cette rupture dans sa *Vie de Mallarmé*, p. 528 : « Un mardi soir du printemps 1888, la rupture avec René Ghil va être publiquement consommée. Combien sont-ils autour de celui-ci, dans la lumière rose, sur les sièges de rotin, prenant du tabac blond pour ne pas trop regarder la victime et entendant, pour la première fois, en ce lieu d'angélisme, le maître le moins agressif prononcer, avec les mots de la poésie, mais avec fermeté, une sorte de sentence ? »

« Un mardi, du mois d'avril il me semble, racontera Ghil, discourant de l'Idée comme seule représentative de la vérité du monde, Mallarmé se tourna vers moi, et, avec quelque tristesse peut-être, mais une intention nette, il me dit : « Non, Ghil, l'on ne peut se passer d'Eden! » Je répondis doucement, mais nettement aussi : « Je crois que si, cher Maître. » Leur amitié finit là.

Ghil est l'auteur d'une immense épopée en nombreux chants, où il montre l'ascension de l'humanité vers la civilisation. Il y met en pratique sa théorie de l'instrumentation verbale. Voici un passage de la dernière partie du *Dire du Mieux*, intitulé « le Vœu de vivre ».

LE VŒU DE VIVRE

Entre les Bâtiments et la Maison, devant
l'aire sous le hangar où métallique sourde
sourdonne[1] la Batteuse vite-roulant[2], dur

---

1. Mot d'harmonie imitative forgé par l'auteur; **2.** Mot composé de la manière prônée déjà au XVIe siècle par Ronsard.

qui gigle[1] l'averse du grain nu : le gars sur
5 le Manège hâte d'aiguillon l'une et lourde
allure des Bovins moteurs[2] en un mouvant
vertige de soleil, — et pétille de luire
en tas hispide[3] de Brûlure allumant les
poussières, la paille neuve : et

ventile et vire
10 le vent, au loin stellaire des glumes[4] des Blés...

Il n'est Bruit — que roulant-pleuvant[5], de la Batteuse.
Il n'est voix — que vitupérant d'instants, l'appel
aux Bovins endormis dans le tour éternel
dont tourne l'engrenage aux dents entrantes :

creuse[6]
15 d'yeux et narines éteintes et, de dans la
chute aux pertes de soi ouvrant[7] et sur la Vie
crispant les terreurs digitales, — car la Mère
est en son agonie, la Mère de toute
la Maison ! — sur le lit aux quadrangles[8] hauts
20 où tant de mères pour mourir ou mettre au monde
crièrent au milieu des sueurs et des travaux
à lente voix : la Mère est en son agonie
et la nuit de ses Fins palpitante l'envoûte
qui sort et s'étend d'elle vers l'alentour-sphère
25 où tonnent des orages : nuit, où seule et ronde
lutte de s'éteindre une lueur qui est son
cœur !...

Mourez, ô les Mères ! mourez du
cœur ! — aux soirs de l'août par tout ovaire
qui saignent l'être sur les terroirs
30 entrez tranquilles parmi la terre...

(Éditions Mercure de France.)

---

1. Mot *gicle* modifié ; 2. En marchant sur place sur le plan incliné du manège, les bœufs font mouvoir les engrenages de la machine ; 3. *Hispide* : terme de botanique (lat. *hispidus*, hérissé) signifiant *couvert de poils* ; 4. *Glume* : balle des graines (lat *gluma*) ; 5. Mot composé forgé par l'auteur ; 6. Ce mot sert à l'enchaînement entre les deux scènes à la fois voisines et isolées l'une de l'autre : battage de la moisson, agonie de la vieille fermière ; 7. Coordonné à crispant avec un complément commun : *les terreurs digitales* ; 8. Ancien nom du quadrilatère. Il s'agit ici des montants du lit.

FRANCIS VIELÉ-GRIFFIN

Francis Vielé-Griffin, Américain de lointaine ascendance française, venu en France à l'âge de huit ans, ne quitta plus ce pays dont il fit sa seconde patrie. Dès le collège Stanislas, il est l'ami d'Henri de Régnier, et il continue à suivre la même voie que lui à la sortie du collège. Il publie, quelques mois après *les Lendemains* de Régnier, son premier recueil de vers, *Cueille d'avril* (1886), et c'est avec son ami aussi qu'il fait un mardi soir une entrée remarquée dans la salle à manger de Mallarmé. Les deux jeunes poètes inséparables deviennent des habitués des Mardis, éprouvent le plus sincère attachement pour le Maître et sont considérés par celui-ci comme les meilleurs poètes de la nouvelle école. En 1889, Vielé-Griffin adopte dans son troisième recueil de poèmes, *Joies*, les vers libres, dont il va être le meilleur défenseur tant par les articles de doctrine que par les modèles qu'il donnera dans ses œuvres poétiques. Le recueil de *Joies* est précédé d'une courte préface, dont le ton de proclamation produit un grand effet dans les milieux littéraires de 1889.

PRÉFACE DE « JOIES » (extrait)

Le vers est libre;
— ce qui ne veut nullement dire que le « vieil » alexandrin à « césure » unique ou multiple, avec ou sans « rejet » ou « enjambement », soit aboli[1] ou instauré; mais — plus largement — que nulle forme fixe n'est plus considérée comme le moule nécessaire à l'expression de toute pensée poétique[2]; que, désormais comme toujours, mais consciemment libre cette fois, le Poète obéira au rythme personnel auquel il doit d'être, sans que M. de Banville[3] ou tout autre « législateur du Parnasse[4] » aient à intervenir;

---

1. Pour son compte, jamais Vielé-Griffin n'a dépassé, comme l'ont fait d'autres vers-libristes, la longueur de l'alexandrin. Si certains de ses vers ont treize syllabes, ils peuvent toujours se ramener à douze par l'apocope de quelque *e* muet; **2.** L'unité n'est plus le vers, mais la strophe, et celle-ci est l'unité respiratoire, vitale. L'année suivante, dans le drame de *la Ville*, Claudel, âgé de vingt-deux ans, parle d'un vers qui correspond au second mouvement des poumons, à l'expiration : « O mon fils! lorsque j'étais poète entre les hommes, j'inventai ce vers qui n'avait ni rythme, ni mètre, et je le définissais, dans le secret de mon cœur, cette fonction double et réciproque, par laquelle l'homme absorbe la vie et la restitue, dans l'acte suprême de l'expiration une parole intelligible. » Unité respiratoire, la strophe est également unité intellectuelle, la phrase, plus ou moins longue, ample et sinueuse, dont chaque élément, long ou court, constitue un vers. La strophe ressemble à une sorte d'analyse logique rimée ou assonancée; **3.** Banville avait publié un traité de versification en 1872; **4.** Périphrase désignant ici non Boileau, mais les parnassiens.

et que le talent devra resplendir ailleurs que dans les traditionnelles et illusoires « difficultés vaincues » de la poétique rhétoricienne. — L'Art ne s'apprend pas seulement, il se recrée sans cesse; il ne vit pas que de tradition, mais d'évolution[1].

(Éditions Mercure de France.)

C'ÉTAIT UN SOIR DE FÉERIES

Le titre du recueil publié par F. Vielé-Griffin en 1889, *Joies*, semble d'abord paradoxal. La plupart des poèmes sont tristes. Le poète pense qu'il n'est de joies que pour les caractères graves et que les plus grandes joies sont celles auxquelles se mêle la douleur.

C'était un soir de féeries,
De vapeurs enrubannées,
De mauve tendre aux prairies,
En la plus belle de tes années.

5 Et tu disais, écho de mon âme profonde, —
Sous l'auréole qui te sacre blonde
Et dans le froissement rythmique des soies :
« Tout est triste de joies;
Quel deuil emplit le monde ?
10 Tout s'attriste de joies. »

Et je t'ai répondu, ce soir de féeries
Et de vapeurs enrubannées :
« C'est qu'en le lourd arome estival des prairies,
Seconde à seconde,
15 S'effeuille la plus belle de tes années;
Un deuil d'amour est sur le monde,
De toutes les heures sonnées. »

(Éditions Mercure de France.)

_____

1. Les symbolistes se réclament de la Science, comme les autres littérateurs de cette époque. L'évolution est un dogme scientifique. Poètes de la vie, ils prennent leurs arguments dans la biologie et dans la psychologie.

LES CLOCHES DU NORD (extrait)

Dans *Joies*, Vielé-Griffin imite la simplicité et la spontanéité des vieilles chansons françaises. Il lui arrive même d'utiliser une de ces créations du folklore et de la paraphraser. Voici la fin de son poème sur « les Cloches du Nord » :

« Je t'attendis longtemps, doux prince,
Mes yeux en sont las, ma vue en est noyée ;
O mène-moi vers ta province,
Emmène-moi, la dévoyée,
O mon doux prince ! »

Elle fit trois pas et la voilà noyée,
Elle fit trois pas et la voilà noyée.

Avril est mort d'amour, et nos âmes sont vieilles
— Chants de cloche fêlée —
La ruine où mon cœur saigna ses lentes veilles
Aux fossés, pierre à pierre, est roulée ;
Et dans la nuit, comme pour pardonner,

Les cloches du Nord se sont mises à sonner.

Le vent hurle, le vent est de Batz et d'Ouessant ;
Le monde est vide, et tu peux mourir —
Le sable oublie un pas de passant
Qu'il veuille marcher ou courir ;
Et tel se hâte et tel s'attarde à s'étonner
Au long de la route ;
O toi, qui vas, écoute, écoute :

Les cloches du Nord se sont mises à sonner,
Les cloches du Nord se sont mises à sonner.

(Éditions Mercure de France.)

ANDRÉ FONTAINAS

André Fontainas, poète d'origine belge, fut l'un des disciples les plus fervents et les plus fidèles de Mallarmé. Né à Bruxelles en 1865, il arriva à Paris en 1888. Quand il envoya en 1889 son premier recueil, *le Sang des fleurs*, à Mallarmé, celui-ci le remercia par une lettre qui fut, dit Fontainas, l' « origine de son bonheur en littérature et de sa religion peut-être ».

VOIX VIBRANTE DE RÊVE...

Voix vibrante de rêve et de chant[1] qui m'affoles,
O voix frêle et sonore, où planent par essaims
Les rires éclatants plus clairs que des tocsins,
O sa voix... je l'écoute autant que ses paroles.

5 Je retrouve en sa voix vos inflexions molles,
Ame des vieux rebecs, esprit des clavecins,
Baisers épanouis en rapides larcins,
Confidences d'amour des anciennes violes.

Sa voix, c'est la douceur des songes innocents,
10 C'est un souffle d'iris, de cinname et d'encens,
C'est un enivrement d'harmonie et d'optique[2],

Et c'est, au fond de moi, fait d'un vivant soleil
De fierté lumineuse et de rythme vermeil,
Le plus éblouissant et le plus pur cantique.

(Éditions Mercure de France.)

LES ANNÉES 1890-1891

L'année 1890 semble une année d'attente et de préparation. Elle n'est, après les premières échauffourées, marquée par aucun grand événement. On y voit naître une revue, doublée d'une maison d'édition, le *Mercure de France*, qui sera le bastion principal du symbolisme dans les années suivantes. Mallarmé fait des conférences en Belgique. Il parle de Villiers de L'Isle-Adam à Bruxelles, à Anvers, à Liège et à Bruges.

En revanche, l'année 1891 s'annonce, dès les premiers mois, comme une année d'importance exceptionnelle, où les rencontres entre adversaires vont décider du sort du Parnasse et du symbolisme. Le 2 février, un banquet est organisé à l'hôtel des Sociétés savantes, rue Danton, en l'honneur de Jean Moréas, qui vient de publier un nouveau recueil de vers, *le Pèlerin passionné*. Peu après, Jules Huret commence une longue enquête littéraire auprès des romanciers et des poètes et publie ses « interviews » dans

---

1. L'union de l'âme et des sens, comme toujours chez les symbolistes; 2. Correspondances de sensations visuelles, olfactives et auditives, mais, ici, il y a plutôt comparaison volontaire que véritable synesthésie. On voit donc que le symbolisme pouvait donner naissance à des procédés littéraires qui ne correspondaient à rien de vécu. Cette imitation est excusable chez un disciple, âgé de vingt-trois ans, qui n'a pas su encore trouver sa véritable inspiration.

l'Echo de Paris pendant trois mois. Pour répondre au désir d'un grand nombre de lecteurs, il réunit tous ses articles en un seul volume, « Enquête sur l'évolution littéraire », qui paraît dès juillet 1891 à la Librairie Charpentier. Stéphane Mallarmé publie à Bruxelles, chez Deman, ses poèmes en prose et ses articles sous le titre de *Pages*. Cette édition fait suite aux premiers rassemblements que l'auteur a tentés : en 1887, édition de luxe des *Poésies* de *la Revue indépendante* et édition populaire d'*Album de vers et de prose* de la Librairie nouvelle de Bruxelles. Enfin, c'est en cette année 1891 que le symbolisme va devenir, de militant et conquérant, souffrant et dolent. Certains de ses adeptes de la première heure n'ont plus foi en son succès et se séparent de lui, de peur de manquer le train de la gloire. Jean Moréas fonde l'*Ecole romane*, dont il devient le chef. Les autres poètes de cette nouvelle école sont Raymond de La Tailhède, Maurice du Plessys, Charles Maurras, Ernest Raynaud, Hugues Rebell.

JEAN MORÉAS : LE PÈLERIN PASSIONNÉ

Déjà, le dernier poème du *Pèlerin passionné* de Jean Moréas laisse entrevoir des tendances au schisme dans l'éloge très appuyé du Moyen Age et du XVIe siècle.

MOI QUE LA NOBLE ATHÈNE...

Moi que la noble Athène[1] a nourri,
Moi l'élu des Nymphes de la Seine,
Je[2] ne suis pas un ignorant dont les Muses ont ri.

    L'intègre élément de ma voix
5 Suscite le harpeur[3], honneur du Vendômois ;
    Et le comte Thibaut[4] n'eut pas de plainte plus douce
    Que les lays[5] amoureux, qui naissent sous mon pouce.

L'Hymne et la Parthénée[6], en mon âme sereine,
Seront les chars vainqueurs qui courent dans l'arène ;

---

1. Licence poétique : suppression de l's pour l'élision de l'*e* muet ; **2.** *Moi... Moi... je...* La personnalité, se comparant, s'estimant par rapport à d'autres rivaux, voilà une attitude qui est bien peu symboliste ; **3.** Ronsard ; **4.** Thibaut IV de Champagne, né à Troyes en 1201, devenu roi de Navarre sous le nom de Thibaut Ier, poète, auteur de *Jeux partis* et de *Chansons* ; **5.** Orthographe ancienne (un lai, des lais), mot désignant au Moyen Age un petit poème narratif ou lyrique, à vers très courts ; **6.** *Parthénée* : chant exécuté dans la Grèce antique par un chœur de jeunes filles. Pindare a écrit des parthénées.

10   Et je ferai que la Chanson
       Soupire d'un tant![1] courtois son,
Et pareille au ramier quand la saison le presse.

       Car par le rite que je sais,
Sur de nouvelles fleurs, les abeilles de Grèce
15   Butineront un miel Français[2]. (**19**)

(Éditions Messein.)

L'ENQUÊTE DE JULES HURET

Jules Huret avait inscrit sur sa liste de visites à faire l'adresse de Mallarmé parmi les premières. Le dialogue entre le journaliste et le poète fut du plus haut intérêt. Il parut le 14 mars 1891 dans *l'Echo de Paris*. En voici les passages essentiels.

INTERVIEW DE MALLARMÉ

[...] — *Voilà pour la forme*, dis-je à M. Mallarmé. *Et le fond!*

— Je crois, me répondit-il, que, quant au fond, les jeunes sont plus près de l'idéal poétique que les Parnassiens qui traitent encore leurs sujets à la façon des vieux philosophes et des vieux rhéteurs, en présentant les objets directement. Je pense qu'il faut au contraire, qu'il n'y ait qu'allusion. La contemplation des objets, l'image s'envolant des rêveries suscitées par eux, sont le chant : les Parnassiens, eux, prennent la chose entièrement et la montrent : par là ils manquent de mystère; ils retirent aux esprits cette joie délicieuse de croire qu'ils créent. *Nommer* un objet, c'est

---

1. Imitation du style de Ronsard; **2.** Cette comparaison rappelle les affirmations d'André Chénier.

─────── **QUESTIONS** ───────

19. Étudiez les vers de ce poème. Sont-ils des vers libres? Si oui, pourquoi?

— Relevez les archaïsmes.

— Quelles sont les préférences que Moréas proclame?

— Ses omissions ne sont-elles pas significatives? Lesquelles sont les plus étonnantes?

supprimer les trois quarts de la jouissance du poème qui est faite de deviner peu à peu : le *suggérer*, voilà le rêve. C'est le parfait usage de ce mystère qui constitue le symbole : évoquer petit à petit un objet pour montrer un état d'âme, ou, inversement, choisir un objet et en dégager un état d'âme, par une série de déchiffrements.

— *Nous approchons ici*, dis-je au maître, *d'une grosse objection que j'avais à vous faire ... L'obscurité.*

— C'est, en effet, également dangereux, me répondit-il, soit que l'obscurité vienne de l'insuffisance du lecteur[1], ou de celle du poète ... mais c'est tricher que d'éluder ce travail. Que si un être d'une intelligence moyenne, et d'une préparation littéraire insuffisante, ouvre par hasard un livre ainsi fait et prétend en jouir, il y a malentendu, il faut remettre les choses à leur place. Il doit y avoir toujours énigme en poésie, et c'est le but de la littérature, — il n'y en a pas d'autre — d'*évoquer* les objets.

— *C'est vous, maître*, demandai-je, *qui avez créé le mouvement nouveau ?*

— J'abomine les écoles, dit-il, et tout ce qui y ressemble : je répugne à tout ce qui est professoral appliqué à la littérature qui, elle, au contraire, est tout à fait individuelle. Pour moi, le cas d'un poète, en cette société qui ne lui permet pas de vivre, c'est le cas d'un homme qui s'isole pour sculpter son propre tombeau. Ce qui m'a donné l'attitude de chef d'école, c'est, d'abord, que je me suis toujours intéressé aux idées des jeunes gens; c'est ensuite, sans doute, ma sincérité à reconnaître ce qu'il y avait de nouveau dans l'apport des derniers venus. Car moi, au fond, je suis un solitaire, je crois que la poésie est faite pour le faste et les pompes suprêmes d'une société constituée où aurait sa place la gloire dont les gens semblent avoir perdu la notion. L'attitude du poète dans une époque comme celle-ci, où il est en grève devant la société, est de mettre de côté tous les moyens viciés qui peuvent s'offrir à lui. Tout ce qu'on peut lui proposer est inférieur à sa conception et à son travail secret.

---

1. Répondant de nouveau en 1896 à ceux qui l'accusent d'être obscur, Mallarmé écrit un article dans *la Revue blanche*, « le Mystère dans les lettres » : « Je préfère, devant l'agression, rétorquer que les contemporains ne savent pas lire sinon dans le journal... » (Éd. de la Pléiade, p. 386.)

PAUL VALÉRY

En cette année 1891 apparaissent rue de Rome quelques nouveaux poètes de vingt ans, de cinq ou six ans plus jeunes que les autres « mardistes ». Avant de venir à Paris, un jeune admirateur d'*Hérodiade*, qui avait lu ce poème à l'âge de dix-sept ans dans l'édition belge de 1888, *Album de vers et de prose*, puis son commentaire dans le roman de Huysmans *A rebours*, **Paul Valéry,** âgé de vingt ans, envoie à Mallarmé, de Montpellier, le 18 avril 1891, une lettre accompagnée d'un poème qui vient de paraître dans la petite revue symboliste *la Conque*. Voici le début de ce poème, que Valéry rééditera vingt-neuf ans plus tard dans *Album de vers anciens*, non sans y avoir apporté de nombreuses corrections.

NARCISSE PARLE

Le thème du narcissisme est intégré dans le symbolisme, puisque pour celui-ci le monde extérieur est un miroir de l'homme et de l'essence mystérieuse des choses. Ici, Valéry l'associe à un souvenir de Montpellier. Dans cette ville où il a fait toutes ses études, il lui est souvent arrivé de passer sous une voûte, vestige des remparts enclos dans l'Institut de botanique, et de lire sur une plaque de marbre cette inscription latine : *placandis Narcissae manibus :* « pour apaiser les mânes de Narcissa ». Une légende s'est formée autour de cette plaque, qui ne date que de 1819. Elle indiquerait la sépulture de Narcissa, fille du poète anglais du XVIIIe siècle Young, auteur des *Nuits*. Lorsqu'ils devinrent amis, en 1890, Gide, Louÿs et Valéry, âgés respectivement de vingt et un, vingt et dix-neuf ans, passèrent souvent sous cette voûte quand ils allaient discuter de poésie dans les allées du Peyrou et du Jardin du Roi.

Narcissae placandis manibus.

O frères, tristes lys, je languis de beauté
Pour m'être désiré dans votre nudité
Et vers vous, Nymphes ! nymphes, nymphes des fontaines,
Je viens au pur silence offrir mes larmes vaines
5 Car les hymnes du soleil s'en vont !...

C'est le soir.

J'entends les herbes d'or grandir dans l'ombre sainte
Et la lune perfide élève son miroir
Si la fontaine nue est, par la nuit, éteinte.
Ainsi, dans ces roseaux harmonieux, jeté
10 Je languis, ô saphir, par ma triste beauté,
Saphir antique et fontaine magicienne

Où j'oubliai le rire de l'heure ancienne.
Que je déplore ton éclat fatal et pur,
Source funeste à mes larmes prédestinée
15 Où puisèrent mes yeux dans un mortel azur
Mon image de fleurs humides couronnée[1]. (**20**)

(Éditions Gallimard.)

ANDRÉ GIDE

En même temps que Valéry, dont il est devenu l'ami, un nouveau « mardiste », **André Gide,** étudie le symbole de Narcisse, qui est aussi le symbole d'Hérodiade, donc un thème essentiel du symbolisme. Il n'y a plus d'opposition du sujet et de l'objet. Le sujet est objet. L'objet est sujet. Le sujet ne se préfère plus à l'objet, il ne s'oppose plus à l'objet dans une conviction de distinction nécessaire. Le sujet regarde un sujet. Il regarde le monde comme s'il voyait sa propre conscience reflétée dans un miroir. Voici quelques passages du *Traité du Narcisse* publié en 1891 par André Gide, âgé de vingt-deux ans.

Les livres ne sont peut-être pas une chose bien nécessaire ; quelques mythes d'abord suffisaient ; une religion y tenait tout entière... Au bord du fleuve du temps, Narcisse s'est arrêté. Fatale et illusoire rivière, où les années passent et s'écoulent. Simples bords, comme un cadre brut où s'enchâsse l'eau, comme une glace sans tain ; où rien ne se verrait derrière ; où, derrière, le vide ennui s'éploierait. Un morne, un léthargique canal, un presque horizontal miroir... Chaste Eden ! Jardin des Idées ! où les formes, rythmiques et sûres, révélaient sans effort leur nombre, où chaque chose était ce qu'elle paraissait ; où prouver était inutile[...] Tout s'efforce vers sa forme perdue[...] Le

---

1. Le narcissisme du symbolisme, c'est le moi et son décor contemplés ensemble.

QUESTIONS

---

20. Relevez les épithètes mallarméennes employées par ce jeune admirateur.

— Étudiez la place de la césure dans ces alexandrins. Est-elle traditionnelle ?

— Quel poème de Mallarmé vous rappelle ce poème de son disciple ?

Poète pieux contemple; il se penche sur les symboles, et silencieux descend profondément au cœur des choses, — et quand il a perçu, visionnaire, l'Idée, l'intime Nombre harmonieux de son Être, qui soutient la forme imparfaite, il la saisit, puis insoucieux de cette forme transitoire qui la revêtait dans le temps, il sait lui redonner une Forme éternelle, — sa Forme véritable enfin, et fatale — paradisiaque et cristalline[...]

(Éditions Gallimard.)

Les deux notes que Gide mettait au bas de ce texte sont aussi importantes que le texte lui-même. « A-t-on bien compris que j'appelle symbole — *tout ce qui paraît ?* »

« Tout représentant de l'Idée tend à se préférer à l'Idée qu'il manifeste. Se préférer — voilà la faute. L'artiste, le savant ne doit pas se préférer à la Vérité qu'il veut dire : voilà toute sa morale ; ni le mot, ni la phrase, à l'Idée qu'ils veulent montrer : je dirai presque, que c'est là toute l'esthétique. »

ALBERT MOCKEL

On voit également aux « mardis » un nouveau poète qui vient de Liège, **Albert Mockel.** Quelques années auparavant, à l'âge de vingt ans, il a fondé dans son pays une revue, *la Wallonie,* où il avait accueilli des œuvres de presque tous les poètes symbolistes. En cette année 1891, il publie sans nom d'auteur une plaquette intitulée *Chantefable, un peu naïve,* qu'il a fait précéder d'un prélude musical. Il y a dans ce geste un hommage de la poésie à la musique qui est l'art le plus proche de la nouvelle école. On y voit aussi une tendance à rapprocher le symbolisme du Moyen Age, puisque le mot de *Chantefable* a désigné l'œuvre charmante du XIIIe siècle *Aucassin et Nicolette.* Voici un poème extrait du premier recueil d'Albert Mockel.

LA PETITE ELLE

Celle qui chantait, vers moi s'est levée
Lorsque j'ai salué son sourire d'aurore.

« Viens, dit-elle, ma robe aux calices s'irrore[1]
et des pleurs ont stellé[2] ma candeur rêvée.

---

1. *S'irrorer :* se couvrir de rosée. Verbe symboliste qui a été relevé par Jacques Plowert dans le *Petit Glossaire de la langue symboliste ;* **2.** Également dans le *Glossaire :* piqueté comme d'étoiles.

5 « Ah! ne regarde plus au loin; je suis à toi
   et je suis belle ainsi, très belle, toute parée...
   Vois, je suis tienne! oh! viens, sois le maître.

« Non, ne regarde pas au loin : regarde-moi!
   Ton ciel n'a pas mes yeux, qu'il jalouse peut-être;
10 mille joailleries illuminent ma chair...
   Viens! je t'aime! viens te perdre en mes yeux clairs
   — mais, oh! ne regarde pas si loin dans mes yeux! »

Et l'enfant, la subtile enfant de mon désir,
   captive au blanc réseau d'un penser virginal,
15 sentit en son regard mes yeux s'évanouir...
   Mais elle, déliant sa grâce floréale[1],
   levait ses douces mains pour me voiler les cieux.

(Éditions Vaillant-Carmanne. Liège.)

PAUL FORT

En 1891, **Paul Fort** est le benjamin du groupe symboliste. Il
a dix-neuf ans et déjà, l'année précédente, il a fondé le *Théâtre
des Arts*. Maintenant, il commence la publication de ces *Ballades
françaises* dont les tomes se succéderont pendant un demi-siècle.
Il leur donne la présentation de la prose, en petits paragraphes
qui ont l'aspect de versets bibliques, mais ce sont des alexandrins
composés à la suite les uns des autres. Le poète ne compte pas
toujours les e muets, surtout à la césure, et il lui arrive d'assonan-
cer au lieu de rimer. Voici un poème qui n'est que le contenu
instantané, l'introspection poétique de l'âme emprisonnée dans les
mots, donc dans le successif, et cependant le poète essaie de garder
la simultanéité des diverses sensations. Cette sorte de poésie est
contemporaine des études de Bergson sur le flux de la conscience.

BALLADE DE LA NUIT

[...] Écoute ton regard se mêler aux étoiles, leurs reflets
se heurter doucement dans tes yeux, et mêlant ton regard
aux fleurs de ton haleine, laisse éclore à tes yeux des étoiles
nouvelles.

---

1. On trouve *floral* et non *floréal* dans le *Glossaire*.

Contemple, sois ta chose, laisse penser tes sens, éprends-toi de toi-même épars dans cette vie. Laisse ordonner le ciel à tes yeux, sans comprendre[1], et crée de ton silence la musique des nuits.

(Éditions Mercure de France.)

PIERRE LOUŸS

C'est **Pierre Louÿs,** ami et condisciple d'André Gide à l'École alsacienne, qui rencontra Paul Valéry à Palavas-les-Flots, et qui, devenu son ami, lui fit faire la connaissance de Gide et de Mallarmé. Louÿs, âgé de vingt-deux ans, envoie au Maître un sonnet le 17 mars 1892, pour fêter un anniversaire important.

SONNET ADRESSÉ À M. MALLARMÉ LE JOUR OÙ IL EUT CINQUANTE ANS

Cinquante heures de nuit préparatoire, ô Maître!
Demain s'éblouiront d'aurore, et nous saurons,
A l'ombre magistrale errante sur nos fronts,
Qu'on a vu sourdre l'or et la lumière naître[2].

5 Eux aussi[3] vont jurer que pas un ne fut traître
Au doigt qui désignait l'aube rouge des troncs[4].
Le jour croît. Vous verrez tous les mauvais larrons,
Qui fuyaient de vous suivre au désert, reparaître!

Ils donneront, à qui méprisa leur troupeau
10 La gloire qu'ils rêvaient de pourpre sur leur peau
Et les lauriers d'argent piqués aux fers de lance;

Mais nous n'entendrons pas ces voix soûles de bruit,
Car nous aurons coupé pour le plus pur silence
Sous vos pieds créateurs les roses de la nuit.

(Éditions Albin Michel.)

---

1. Sans analyser. Analyser, c'est détruire, c'est tuer sous prétexte de disséquer; **2.** En 1892, tous les disciples de Mallarmé étaient persuadés que leur Maître allait publier prochainement une œuvre magistrale; **3.** Ceux qui ont douté, ou même critiqué; **4.** L'aube qui rougissait les troncs de la forêt.

LES DERNIÈRES ANNÉES (1894-1898)

Durant l'année 1893, Mallarmé fait des démarches pour obtenir sa retraite. Il peut maintenant faire valoir trente années de service dans l'Université. Il écrit à Jules Boissière : « ... Le misérable collège, qui me dévore le temps, plus que jamais, a sévi cette année pour la dernière. J'y compte ne pas rentrer, prendre ma retraite et vraiment débuter dans la littérature. » Après quelques retards administratifs, Mallarmé est enfin admis à la retraite le 6 janvier 1894. Cependant, il ne va pas se lancer tout de suite dans une production fébrile. Il lui faut le temps de se faire à sa nouvelle vie. Il va donner deux conférences, l'une à Oxford, l'autre à Cambridge. Il publie dans *le Figaro* un article sur *le Fonds littéraire*, et c'est tout pour l'année 1894. En 1895, en revanche, il semble repris par une certaine fièvre littéraire. Il donne tous les mois, de février à novembre, un article à *la Revue blanche*, sous le titre général de *Variations sur un sujet*. Sortant de sa réserve, il y apporte de précieuses précisions sur sa poétique. Voici la page la plus célèbre, tirée de l'article *Averses ou Critique*, qui prit en 1896 le titre *Crise de vers*. On y retrouve des fragments de 1886 repris à l'*Avant-Dire du Traité du Verbe* de René Ghil.

Un désir indéniable à mon temps est de séparer comme en vue d'attributions différentes le double état de la parole, brut ou immédiat ici, là essentiel.

Narrer, enseigner, même décrire, cela va et encore qu'à chacun suffirait peut-être pour échanger la pensée humaine, de prendre ou de mettre dans la main d'autrui en silence une pièce de monnaie, l'emploi élémentaire du discours dessert[1] l'universel *reportage* dont, la littérature exceptée[2], participe tout entre les genres d'écrits contemporains.

A quoi bon la merveille de transposer un fait de nature en sa presque disparition vibratoire selon le jeu de la parole, cependant; si ce n'est pour qu'en émane, sans la gêne d'un proche ou concret rappel, la notion pure.

Je dis : une fleur ! et, hors de l'oubli où ma voix relègue aucun[3] contour, en tant que quelque chose d'autre que les

---

1. *Dessert :* est propre à; **2.** Évidemment la littérature supérieure; **3.** Un contour aboli.

calices sus, musicalement[1] se lève, idée même et suave, l'absente de tous bouquets.

Au contraire d'une fonction de numéraire facile et représentatif, comme le traite d'abord la foule, le dire, avant tout, rêve et chant, retrouve chez le Poète, par nécessité constitutive d'un art consacré aux fictions, sa virtualité[2].

Le vers qui de plusieurs vocables refait un mot total, neuf, étranger à la langue et comme incantatoire[3], achève cet isolement de la parole : niant, d'un trait souverain, le hasard demeuré aux termes malgré l'artifice de leur retrempe alternée en le sens et la sonorité, et vous cause[4] cette surprise de n'avoir ouï jamais tel fragment ordinaire d'élocution, en même temps que la réminiscence de l'objet nommé baigne dans une neuve atmosphère.

(Éditions Gallimard.)

À LA NUE ACCABLANTE...

En cette année 1895, Mallarmé publie ses deux derniers sonnets, tous deux en vers courts, l'un en octosyllabes, l'autre un quatorzain en heptasyllabes. Ils n'ont plus ni l'un ni l'autre de ponctuation. *A la nue accablante* ... parut en fac-similé dans le numéro d'avril-mai 1895 de la revue allemande *Pan*, de Berlin.

A la nue accablante tu
Basse[5] de basalte et de laves
A même[6] les échos esclaves
Par une trompe sans vertu[7]

5   Quel sépulcral naufrage (tu
Le sais, écume[8], mais y baves)

1. Valeur du son même. Voici ce que dit Mallarmé de la consonne *F* dans *les Mots anglais* (éd. de la Pléiade, p. 935) : « Elle forme avec l'*f* la plupart des vocables représentant l'acte de voler ou battre l'espace » ; **2.** Puissance qui n'attend que l'occasion pour s'actualiser ; **3.** *Incantatoire :* doué d'un pouvoir magique, comme certaines formules de sorcellerie ; **4.** *Cause* a pour sujet *le vers.* C'est un bel exemple de cette large ouverture syntaxique de la prose mallarméenne ; **5.** La *nue* est comparée à une basse, haut fond recouvert par les flots ; **6.** Même aux échos. **7.** Sans force. **8.** Seule ponctuation de tout le sonnet, parce que le mot encadré par deux virgules est un vocatif.

Suprême une[1] entre les épaves
Abolit le mât dévêtu

Ou cela[2] que furibond faute
De quelque perdition haute
Tout l'abîme vain éployé

Dans le si blanc cheveu[3] qui traîne
Avarement aura noyé
Le flanc enfant d'une sirène. **(21)**

(Éditions Gallimard.)

Tous les éléments dispersés de cette immense phrase ressemblent aux épaves ballottées par les vagues après un naufrage. Le sonnet peut d'ailleurs être reconstruit suivant l'ordre grammatical : « Tu à la nue accablante, basse de basalte et de laves, même aux échos esclaves, par une trompe sans vertu, quel sépulcral naufrage (tu le sais, écume, mais y baves) abolit une suprême entre les épaves, le mât dévêtu ou cela, le flanc d'une sirène enfant, que, furibond, faute de quelque haute perdition, tout l'abîme éployé vain dans le si blanc cheveu qui traîne aura noyé avarement. »

TOUTE L'ÂME...

M. Charles Mauron appelle ce fragile quatorzain un « art poétique », et Mme Émilie Noulet dit de son côté : « Dans une édition qui restituerait et respecterait l'ordre chronologique et l'évolution de la pensée poétique de Mallarmé, ce sonnet léger et pourtant didactique devrait se trouver le dernier; d'abord parce qu'il est le dernier ou un des derniers que le poète ait écrits, preuve de la fidélité à sa propre doctrine; ensuite parce qu'il est un testament littéraire, l'ultime conseil de celui qui entrevit peut-être

---

1. Apposition à mât; **2.** Deuxième complément d'*abolit : cela...* (à savoir) *Le flanc enfant d'une sirène.* Le poète reprendra cette idée dans le naufrage qu'il évoque dans *Un coup de dés :* un naufrage peut paraître aussi irréel qu'une vision fugitive; **3.** La frange d'écume qui flotte sur la crête des vagues.

──────── **QUESTIONS** ────────

21. Quelle intention a présidé à la construction de ce poème, fait d'une seule longue phrase aux nombreuses inversions ?

— Pourquoi, dans ce sonnet sans ponctuation, l'auteur a-t-il mis *écume* entre virgules ?

la véritable nature de la poésie. » Nous plaçons donc ce petit poème à la fin d'une étude qui a été faite en vue de restituer l'évolution créatrice de Mallarmé. Que ce dernier ait pris la comparaison de l'acte de fumer, rien d'étonnant à cela. Il était un grand fumeur et ses disciples aussi. Certains mardis soir, on était obligé d'aérer quelques instants, parce qu'on ne se voyait plus. Mallarmé mettait du raffinement dans l'acte de fumer comme en tout le reste. Pour lui, fumer était intéressant dans la mesure où des volutes savantes entraînaient à leur suite l'âme éprise des idées poétiques. De même, la poésie ne doit pas être trop précise, elle doit être surtout suggestive. Dans *Magie* (éd. de la Pléiade, p. 399), Mallarmé avait déjà dit deux ans auparavant : « Évoquer, dans une ombre exprès, l'objet tu, par des mots allusifs, jamais directs, se réduisant à du silence égal, comporte tentative proche de créer. » Ce sonnet parut dans *le Figaro* du 3 août 1895, au cours d'une enquête dirigée par Austin de Croze sur *le Vers libre et les Poëtes* : « Voici, disait le critique, des vers que *par jeu* le poète a voulu bien écrire à notre intention pour cette enquête. »

Toute l'âme[1] résumée (**22**)
Quand lente nous l'expirons[2]
Dans plusieurs ronds de fumée
Abolis[3] en autres ronds

5   Atteste[4] quelque cigare
Brûlant savamment[5] pour peu
Que la cendre se sépare
De son clair baiser de feu

---

1. Le souffle et l'esprit. Équivoque qui est bien dans le genre mallarméen : *animus* et *anima*; **2.** Le fumeur a l'impression de chasser en même temps que la fumée toutes les pensées tristes; **3.** Il convenait que ce mot typiquement mallarméen fût placé dans ce sonnet; **4.** A pour sujet *toute l'âme*; **5.** Il s'agit de cette sagesse qui sait discerner le beau, le bien, sagesse apparentée à la *patience*, à la *sœur sensée*, à l'*enfant docte* de la *Prose pour Des Esseintes*.

───── **QUESTIONS** ─────

22. Qu'est-ce qu'un quatorzain ?

— Pourquoi Mallarmé a-t-il choisi un rythme impair pour ce poème ?

— Que signifient *âme*, *résumée* (v. 1) ? Ne faut-il pas penser à *anima*, « le souffle », d'une part, et à l'anglais *to resume*, « reprendre », qui se rapproche du latin *resumere* ?

— Que symbolise *la cendre* (v. 7) ?

— Que signifie *vague* (v. 14) ? Ne pourrait-on rapprocher cet avertissement d'un passage de l'*Art poétique* de Verlaine ?

Ainsi le chœur des romances[1]

10   A la lèvre vole-t-il[2]

Exclus-en si tu commences

Le réel[3] parce que vil

Le sens trop[4] précis rature[5]

Ta vague[6] littérature.

(Éditions Gallimard.)

REMY DE GOURMONT

En 1896, malgré certaines fausses manœuvres et certaines défections, malgré la disparition de Verlaine, le symbolisme garde toujours un grand prestige et se trouve encore à l'avant-garde des lettres. Remy de Gourmont, poète et critique, qu'on a surnommé « le Sainte-Beuve du symbolisme », publie une série d'études sur les principaux symbolistes. Le dessinateur Vallotton ayant représenté seulement la tête de chacun de ces poètes au début du chapitre qui lui est consacré, le livre prend le titre de *Livre des masques*. Voici le début de l'article consacré à Mallarmé. Il montre dans quelle estime était tenu celui qui succédait à Verlaine comme Prince des Poètes.

Avec Verlaine, M. Stéphane Mallarmé est le poète qui a eu l'influence la plus directe sur les poètes d'aujourd'hui. Tous deux furent parnassiens et d'abord baudelairiens.

Per me si va tra la perduta gente.

Par eux on descend le long de la montagne triste jusqu'en la cité dolente des *Fleurs du mal*.

Toute la littérature actuelle, et surtout celle que l'on appelle symboliste, est baudelairienne, non sans doute par la technique extérieure, mais par la technique interne et spirituelle, par le sens du mystère, par le souci d'écouter ce que disent les choses, par le désir de correspondre, d'âme à âme, avec l'obscure pensée répandue dans la nuit du monde, selon ces vers si souvent dits et redits :

---

1. L'ensemble de l'œuvre poétique; **2.** Inversion exprimant la supposition; **3.** C'est l'anecdote, le fait particulier; **4.** Valeur de l'adverbe *trop :* Mallarmé n'est hostile qu'à l'excès de précision; **5.** Détruit; **6.** *Vague* signifie ici non pas « floue », au sens adopté par Verlaine dans son *Art poétique*, mais « mouvante », c'est-à-dire douée de rapports oscillant de terme à terme.

> *La nature est un temple où de vivants piliers*
> *Laissent parfois sortir de confuses paroles ;*
> *L'homme y passe à travers des forêts de symboles*
> *Qui l'observent avec des regards familiers.*

> *Comme de longs échos qui de loin se confondent*
> *Dans une ténébreuse et profonde unité,*
> *Vaste comme la nuit et comme la clarté,*
> *Les parfums, les couleurs et les sons se répondent.*

Avant de mourir, Baudelaire avait lu les premiers vers de Mallarmé; il s'en inquiéta; les poètes n'aiment pas à laisser derrière eux un frère ou un fils; ils se voudraient seuls et que leur génie pérît avec leur cerveau. Mais M. Mallarmé ne fut baudelairien que par filiation; son originalité si précieuse s'affirma vite; ses *Proses*[1], son *Après-midi d'un faune*, ses *Sonnets* vinrent dire, à de trop longs intervalles, la merveilleuse subtilité de son génie patient, dédaigneux, impérieusement doux. Ayant tué volontairement en lui la spontanéité de l'être impressionnable, les dons de l'artiste remplacèrent peu à peu en lui les dons du poète; il aima les mots pour leur sens possible plus que pour leur sens vrai et il les combina en des mosaïques d'une simplicité raffinée. On a bien dit de lui qu'il était un auteur difficile, comme Perse ou Martial. Oui et pareil à l'homme d'Andersen qui tissait d'invisibles fils, M. Mallarmé assemble des gemmes colorées par son rêve et dont notre soin n'arrive pas toujours à deviner l'éclat. Mais il serait absurde de supposer qu'il est incompréhensible; le jeu de citer tels vers obscurs pour leur isolement, n'est pas loyal, car, même fragmentée la poésie de M. Mallarmé, quand elle est belle, le demeure incomparablement, et si en un livre rongé, plus tard, on ne trouvait que ces débris :

> *La chair est triste, hélas ! et j'ai lu tous les livres.*
> *Fuir ! là-bas fuir ! Je sens que des oiseaux sont ivres*
> *D'être parmi l'écume inconnue et les cieux...*

> *Un automne jonché de taches de rousseur...*
> *Et tu fis la blancheur sanglotante des lys...*
> *Je t'apporte l'enfant d'une nuit d'Idumée...*
> *Tout son col secouera cette blanche agonie...*

---

1. Il s'agit ici des poèmes en prose.

il faudrait bien les attribuer à un poète qui fut artiste au degré absolu. Oh! ce sonnet du cygne (dont le dernier vers cité est le neuvième) où tous les mots sont blancs[1] comme de la neige[...]

(Éditions Mercure de France.)

FRANCIS VIELÉ-GRIFFIN

En 1895, pendant presque toute l'année se succèdent alternativement tous les quinze jours, dans *l'Echo de Paris*, des poèmes signés par les deux poètes, amis inséparables, qui sont alors considérés comme les plus brillants représentants du mouvement symboliste, Francis Vielé-Griffin, que Mallarmé appelle *l'Authentique Griffin*, et Henri de Régnier, qu'il considère comme le poète le plus doué de la jeune génération symboliste. Chacun réunira ses poèmes en 1897, Vielé-Griffin sous le titre *la Clarté de vie*, Régnier sous celui-ci : *les Jeux rustiques et divins*. Les deux poètes ont un sentiment profond des correspondances entre l'âme et la nature. Leur façon de l'évoquer est lente et grave. Chez Régnier, elle s'alourdit encore d'une certaine sensualité païenne.

OCTOBRE

La brise, déjà brusque et de voix rude,
A poussé, devant nous, le vantail d'or
Du vieil Automne auguste aux yeux de solitude.
L'herbe est joyeuse encore
5 Et, dès le seuil,
Le regain vêt le pré de sa verdure neuve ;
Regarde : la vallée s'élargit comme un fleuve ;
L'arrière-été, frileux sous son manteau de feuilles,
Se lève, au loin, souriant la bienvenue,
10 Et chante, comme au temps des cueilles
Et les oiseaux,
Alors qu'il cherchait l'ombre et riait nu

---

1. Impression produite plutôt par le sens que par le son. Le son *i* prédomine dans ce sonnet ; or, pour Rimbaud, *i* est rouge, et, pour Ghil, *i* est bleu. Mallarmé lui-même constate dans *Crise de vers* que les sons ne concordent pas toujours avec le sens : « Quelle déception devant la perversité conférant à *jour* comme à *nuit*, contradictoirement, des timbres obscur ici, là clair. » Mais Mallarmé s'en console et trouve même dans cette espièglerie des langues la cause de l'existence des beaux vers. « Lui, philosophiquement, rémunère le défaut des langues, complètement supérieur. »

Francis Vielé-Griffin, en 1898, à Nazelles (Indre-et-Loire),
tenant un portrait de son ami Henri de Régnier.

Phot. Giraudon.

LA MAISON DE MALLARMÉ À VALVINS

Toile de Vuillard (1868-1940).

D'entre les grands lys d'eau et les roseaux...
L'été n'eut pas de gloire comme celle-ci :
15 Le verdoyant orgueil de son laurier
N'a pas valu les diadèmes d'or verdi
Que te voici cueillant au peuplier léger ;
Et si des feuilles saignent sous nos pas
Comme une lie vive de vendange,
20 L'âme subtile et fauve de l'effeuillaison
Monte sous bois, en griserie étrange
Entre les ormes tors,
Quand nous passons, riant tous deux, couronnés d'or,
Et tout, autour de nous, est beau comme la mort.

25 Seules les feuilles bruissent,
Au sillage de ta jupe hâtive ;
Arrête ! écoute et retiens ton haleine :
Il n'est plus un murmure qui vive,
Le silence des rayons oblique et glisse
30 Furtif entre les chênes...
La brise meurt ;
L'air est si calme qu'on entend son cœur
Qui bat la vieille peine...

La mort est belle comme ce soir, je crois
35 — Silencieuse et pâle, sans rêve et sans émoi —
Nulle douleur voilée ne guette entre les ifs
Ceux dont la voix s'éteint comme un chant qui s'éloigne
Et le geste crédule où les lèvres se joignent
Scelle d'un sceau d'enfant la loi grave du sort ;
40 Saluons d'un baiser l'Automne aux yeux pensifs ;
La Vie est un sourire aux lèvres de la Mort...

Si de la gaieté claire de ses guirlandes
J'ai fait comme un refrain au rêve de la vie,
La sente du verger ou le sentier des landes
45 Ondule au rythme égal de ma mélancolie ;
On pleurerait, peut-être, à rêver l'ombre grande
Et le cri du tombeau où nul ne vient à l'aide ;
Mais l'ombre grêle est douce sous la charmille tiède,
Le rateau à tes pieds mord des feuilles crispées ;

50 L'Été hésite, avec ses heures attroupées,
   Au seuil de l'occident et sourit à la nuit...

   ... Que ferons-nous demain de ces roses coupées ?
   J'ai hâte du feu clair et de ta voix qui lit... (**23**)

(Éditions Mercure de France.)

HENRI DE RÉGNIER

Le Vase est considéré comme le chef-d'œuvre d'**Henri de Régnier.** Certains effets plastiques y annoncent la conversion de Régnier au Parnasse. En épousant en 1896 la deuxième fille de José-Maria de Heredia, Marie (en littérature Gérard d'Houville), Régnier donne à ce geste une allure officielle, mais il se brouille avec Vielé-Griffin, intransigeant ami.

LE VASE

Mon marteau lourd sonnait dans l'air léger,
Je voyais la rivière et le verger,
La prairie et jusques au bonheur
Sous le ciel plus bleu d'heure en heure,
5 Puis rose et mauve au crépuscule ;
Alors je me levais tout droit
Et m'étirais heureux de la tâche des heures,
Gourd de m'être accroupi de l'aube au crépuscule
Devant le bloc de marbre où je taillais les pans
10 Du vase fruste encor que mon marteau pesant,
Rythmant le matin clair et la bonne journée,
Heurtait, joyeux d'être sonore en l'air léger !

────── **QUESTIONS** ──────

23. Étudiez la composition de ce poème.
— Le vers libre de Vielé-Griffin. Ses éléments. Son unité. Ses arrêts. Le rejet est-il encore justifié dans ce genre de vers ?
— Y a-t-il des assonances ? Des rimes sans écho ?
— Le poète utilise un style anthropomorphique pour parler de la nature. Relevez tous les mots qui révèlent ce procédé.
— Si l'automne a été la saison préférée des symbolistes comme des romantiques, l'a-t-il été pour les mêmes raisons ?
— Quel sentiment inspire la mort au poète ?
— Comment le poète relie-t-il l'amour de l'automne, de la vie, de la femme ? Qu'est-ce qui crée l'unité poétique ?

Le vase naissait dans la pierre façonnée.
Svelte et pur il avait grandi
15 Informe encore en sa sveltesse,
Et j'attendis,
Les mains oisives et inquiètes,
Pendant des jours, tournant la tête
A gauche, à droite, au moindre bruit,
20 Sans plus polir la panse ou lever le marteau.
L'eau
Coulait de la fontaine comme haletante.
Dans le silence
J'entendais, un à un, aux arbres du verger,
25 Les fruits tomber de branche en branche;
Je respirais un parfum messager
De fleurs lointaines sur le vent;
Souvent,
Je croyais qu'on avait parlé bas,
30 Et, un jour que je rêvais — ne dormant pas —
J'entendis par delà les prés et la rivière
Chanter des flûtes...

Un jour, encor,
Entre les feuilles d'ocre et d'or
35 Du bois, je vis, avec ses jambes de poil jaune,
Danser un faune;
Je l'aperçus aussi, une autre fois,
Sortir du bois
Le long de la route et s'asseoir sur une borne
40 Pour prendre un papillon à l'une de ses cornes.

Une autre fois,
Un centaure passa la rivière à la nage;
L'eau ruisselait sur sa peau d'homme et son pelage;
Il s'avança de quelques pas dans les roseaux,
45 Flaira le vent, hennit, repassa l'eau;
Le lendemain, j'ai vu l'ongle de ses sabots
Marqué dans l'herbe...

Des femmes nues
Passèrent en portant des paniers et des gerbes,
50 Très loin, tout au bout de la plaine.

Un matin, j'en trouvai trois à la fontaine
Dont l'une me parla. Elle était nue.
Elle me dit : Sculpte la pierre
Selon la forme de mon corps en tes pensées,
55 Et fais sourire au bloc ma face claire;
Écoute autour de toi les heures dansées
Par mes sœurs dont la ronde se renoue,
Entrelacée,
Et tourne et chante et se dénoue.

60 Et je sentis sa bouche tiède sur ma joue.

Alors le verger vaste et le bois et la plaine
Tressaillirent d'un bruit étrange, et la fontaine
Coula plus vive avec un rire dans ses eaux;
Les trois Nymphes debout auprès des trois roseaux
65 Se prirent par la main et dansèrent; du bois
Les faunes roux sortaient par troupes, et des voix
Chantèrent par delà les arbres du verger
Avec des flûtes en éveil dans l'air léger.
La terre retentit du galop des centaures;
70 Il en venait du fond de l'horizon sonore,
Et l'on voyait, assis sur la croupe qui rue,
Tenant des thyrses tors et des outres ventrues,
Des Satyres boiteux piqués par des abeilles,
Et les bouches de crin et les lèvres vermeilles
75 Se baisaient, et la ronde immense et frénétique,
Sabots lourds, pieds légers, toisons, croupes, tuniques,
Tournait éperdument autour de moi qui, grave,
Au passage sculptais aux flancs gonflés du vase
Le tourbillonnement des forces de la vie.

80 Du parfum exhalé de la terre mûrie
Une ivresse montait à travers mes pensées,
Et dans l'odeur des fruits et des grappes pressées,
Dans le choc des sabots et le heurt des talons,
En de fauves odeurs de boucs et d'étalons,
85 Sous le vent de la ronde et la grêle des rives,
Au marbre je taillais ce que j'entendais bruire;
Et parmi la chair chaude et les effluves tièdes,
Hennissement du mufle ou murmure des lèvres,

Je sentais sur mes mains, amoureux ou farouches,
90 Des souffles de naseaux ou des baisers de bouches.

Le crépuscule vint et je tournai la tête.

Mon ivresse était morte avec la tâche faite ;
Et sur son socle enfin, du pied jusques aux anses,
Le grand Vase se dressait nu dans le silence,
95 Et, sculptée en spirale à son marbre vivant,
La ronde dispersée et dont un faible vent
Apportait dans l'écho la rumeur disparue,
Tournait avec ses boucs, ses dieux, ses femmes nues,
Ses centaures cabrés et ses faunes adroits,
100 Silencieusement autour de la paroi,
Tandis que, seul, parmi, à jamais, la nuit sombre,
Je maudissais l'aurore et je pleurais vers l'ombre. **(24)**

(Éditions Mercure de France.)

UN COUP DE DÉS JAMAIS...

Dans le numéro de mai 1897 de la revue internationale *Cosmopolis* paraît un poème en prose de Stéphane Mallarmé. L'auteur a adopté une mise en page nouvelle. Le texte, fragmenté, descend la page comme une sorte d'escalier. Les caractères d'imprimerie ne sont pas uniformes. Il y a de grandes capitales romaines, de petites capitales romaines, des capitales italiques, des bas de casse en romain et en italique. Sans nul doute, *Un coup de dés jamais n'abolira le hasard* est un fragment du livre que Mallarmé était décidé à créer, s'il avait encore dix ans à vivre. Au moment où

──────── **QUESTIONS** ────────

24. Le plan du poème.
— Peut-on situer ce poème dans le temps, dans l'espace ?
— Quelle différence y a-t-il entre l'emploi de la mythologie par les poètes des XVIe, XVIIe et XVIIIe siècles et par Régnier ?
— Pourquoi le sculpteur est-il en proie à la tristesse lorsqu'il a terminé son chef-d'œuvre ?
— Étudiez le dosage de poésie plastique et de poésie symboliste.
— Étudiez le vers libre de Régnier. Diffère-t-il nettement de celui de Vielé-Griffin ?
— Relevez les alexandrins ternaires.
— Quelles remarques pouvez-vous faire sur les rimes ?

la mort le surprit, il revoyait les épreuves d'une édition de luxe in-folio qui devait être illustrée de planches d'Odilon Redon. Cette édition ne vit jamais le jour et les épreuves en disparurent mystérieusement. Ce n'est qu'en 1914 que la N. R. F. donne, par les soins du docteur Edmond Bonniot, gendre du poète, une édition du *Coup de dés*. Depuis longtemps déjà, Mallarmé rêvait d'utiliser la typographie comme auxiliaire de la pensée poétique. Dans l'article « le Livre instrument spirituel » (éd. de

RIEN

de la mémorable crise
ou se fût
l'événement

la Pléiade, p. 381) écrit en 1895, on lit : « Pourquoi — un jet de grandeur, de pensée ou d'émoi, considérable, phrase poursuivie en gros caractères, une ligne par page à emplacement gradué, ne maintiendrait-il le lecteur en haleine, la durée du livre, avec appel à sa puissance d'enthousiasme : autour, menus, des groupes, secondairement d'après leur importance, explicatifs ou dérivés — un semis de fioritures. » Voici les deux dernières doubles pages du poème qui se déploie sur 10 doubles pages.

accompli en vue de tout résultat nul
humain

N'AURA EU LIEU
une élévation ordinaire verse l'absence

QUE LE LIEU[1]
inférieur clapotis quelconque comme pour disperser l'acte vide
abruptement qui sinon
par son mensonge
eût fondé
la perdition

dans ces parages
du vague[2]
en quoi toute réalité se dissout[3]

---

1. Cette double page ressemble à la suivante, parce que le mouvement du bateau donnant de la bande et s'abîmant dans les flots forme sur l'immense surface de la mer une figure qui trouve son pendant au ciel, dans le naufrage des constellations; **2.** Chez Mallarmé, *vague* signifie toujours « mouvant » : « Le sens trop précis sature — Ta vague littérature »; **3.** Vue vertigineuse, à rapprocher de l'un des premiers poèmes de Valéry, *Profusion du soir*, poème abandonné, que Mallarmé ne connut pas sans doute, mais les esprits symbolistes étaient parents par ce souci d'élargir la vision de l'heure et de la rendre cosmique : « Fermez-vous! Fermez-vous! Fenêtres offensées! — Grands yeux qui redoutez la véritable nuit! — Et toi, de ces hauteurs d'astres ensemencées, — Accepte, fécondé de mystère et d'ennui, — Une maternité muette de pensées... »

EXCEPTÉ

     à l'altitude

         PEUT-ÊTRE

               aussi loin qu'un endroit

---

1. Image typographique de la constellation de l'Ours; **2.** Le ciel, comparé à une table sur laquelle on jette une poignée de dés; **3.** Dans le sonnet *Quelle soie aux baumes de temps....*, le poète dit : « Les trous de drapeaux méditants. » Il faut penser au sens de travail, d'agitation concentrée; penser aussi au commentaire de Valéry, *Variété II*, dans le chapitre intitulé *le Coup de dés* : « Ici, véritablement, l'étendue parlait, songeait, enfantait des formes temporelles. »

fusionne avec au-delà

                    hors l'intérêt
                quant à lui signalé
                            en général
selon telle obliquité par telle déclivité
                            de feux

        vers
            ce doit être
                le Septentrion aussi Nord

                    UNE CONSTELLATION[1]

                froide d'oubli et de désuétude
                            pas tant
                        qu'elle n'énumère
                sur quelque surface vacante et supérieure[2]
                        le heurt successif
                                sidéralement
                    d'un compte total en formation

veillant
        doutant
                roulant
                    brillant et méditant[3]

                        avant de s'arrêter
                à quelque point dernier qui le sacre

                Toute Pensée émet un Coup de Dés

_____

1. 2. 3. (voir ci-contre p. 114).

DOCUMENTATION THÉMATIQUE
réunie par la Rédaction des Nouveaux Classiques Larousse

1. SITUATION DU SYMBOLISME

◆ Guy Michaud, *Message poétique du Symbolisme* (Nizet, 1947, pp. 637-638).

L'existence de chacun, individu ou être collectif, est préfigurée et en puissance depuis le début du monde. Chacun vient à l'heure et à la place auxquelles il devait être appelé. Chacun se *situe* dans un progrès où, l'un après l'autre, chaque moment de la Création s'efforce vers un ordre meilleur, enrichi des expériences successives et aussi des souffrances qui l'ont précédé.

Un certain classicisme a toujours existé. Mais le Classsicisme s'est incarné en France vers le milieu du XVIIe siècle, préparé à la fois par un mouvement de pensée rationaliste et par une renaissance des humanités gréco-latines et de leur tradition esthétique ; fondé sur l'intelligence — on disait la raison —, il a soif de perfection et vise à découvrir la forme idéale de l'art et du beau ; et ce n'est pas par hasard qu'il se nomme Classicisme, c'est-à-dire sens de l'ordre et de l'harmonie. De même, toutes les civilisations, tous les arts, toutes les littératures furent toujours quelque peu romantiques, du moins à de certaines époques. Mais le Romantisme est né en Allemagne à la fin du XVIIIe siècle, préparé à la fois par une révolte de toutes les puissances cachées de l'être que le Classicisme avait refoulées, et par un courant d'idéalisme plus ou moins mystique ; fondé sur le sentiment et sur l'émotion, il a soif d'infini et tend vers le lyrisme ; son nom d'ailleurs ne le prédestinait-il pas à se faire le champion du rêve et de l'imagination ?

De tous temps aussi il y eut en art et en littérature du symbolisme. Mais le Symbolisme a réellement vu le jour en France dans la deuxième moitié du XIXe siècle, il a vécu un demi-siècle, quoique, par l'œuvre qui l'incarne avec le plus de gloire, il vienne comme vivant encore, jusqu'à nous. Préparé par une convergence remarquable de thèmes et d'idées, mais plus encore peut-être par une convergence non moins remarquable de disciplines — poétique, psychologique, esthétique, métaphysique —, fondé sur la *sensation,* c'est-à-dire au point exact où se rencontrent l'homme et l'univers, il y éprouve avec hantise le relatif et le mouvant de l'existence, et a une soif ardente, non plus de perfection ni d'infini, mais d'*absolu.* Cet absolu, ce ne sont, pense-t-il, ni l'intelligence ni le sentiment ou l'émotion qui lui permettront de l'atteindre, mais une attitude de pensée que l'Occident a depuis longtemps méconnue, l'*intuition*. Et cette intuition, ce n'est ni dans l'art, ni dans le lyrisme, qu'elle pourra s'incarner, mais très exactement dans la poésie. De même que le Classicisme avait recherché l'essence de l'art et le Romantisme l'essence du lyrisme, le Symbolisme va donc rechercher l'essence de la poésie, c'est-à-dire la *poésie pure,* celle qui lui dira comment sont « faits » l'esprit et le monde en lui révélant la structure idéale de l'univers. Et il cherche alors, au moyen de l'intuition, à parvenir, par-delà l'inconscient, à une sorte de supra-conscience qui lui permette d'entrer en communication avec la Réalité suprême. Ainsi, grâce au Symbolisme, la poésie a rejoint la *métaphysique* et remonte à l'Etre. En même temps, au moins avec le plus grand de ses poètes, le Symbolisme invite la poésie à rejoindre la *mystique,* et à découvrir le Principe universel qui est l'Amour. Il donne ainsi le signal d'une conversion spirituelle, grâce à laquelle seulement, guidé par ce Principe et s'étant rattaché à l'Etre, il pourra découvrir l'absolu, le secret de la création, la structure qu'il cherchait. Alors il comprend que cette structure est symbolique, et que le symbole est le principe même de la Création.

Mais voici le paradoxe de la poésie : son essence, c'est précisément de créer. Son nom le lui désigne. L'univers le lui réclame. Une fois retrouvée la source il faut donc retrouver le sens de la création. Et c'est ici que le Symbolisme rejoint vraiment sa raison d'être. Il s'éprouve alors, non plus seulement comme le principe, mais comme le *moyen* de la création, comme le rayonnement des Idées et du Verbe à tous les degrés de la réalité, dans tous les domaines de l'être. Il devient participation au Grand Œuvre de l'univers, et le poète prend conscience avec lui de sa fonction divine.

◆ Paul Valéry, *Situation de Baudelaire* (Gallimard, Bibl. de la Pléiade, I, pp. 608-613).

Je ne cacherai pas que le fond des pensées de Poe tient à une certaine métaphysique qu'il s'était faite. Mais cette métaphysique, si elle dirige et domine et suggère les théories dont il s'agit, toutefois ne les pénètre pas. Elle les engendre et en explique la génération ; elle ne les constitue pas.

Les idées d'Edgar Poe sur la poésie sont exprimées dans quelques essais dont le plus important (et celui qui concerne le moins la technique des vers anglais) a pour titre : *Le Principe poétique* (*The Poetic Principle*).

Baudelaire a été si profondément touché par cet écrit, il en a reçu une impression si intense qu'il en a considéré le contenu, et non seulement le contenu mais la forme elle-même, *comme son propre bien.*

L'homme ne peut qu'il ne s'approprie ce qui lui semble si exactement *fait pour lui* qu'il le regarde malgré soi comme fait *par lui*... Il tend irrésistiblement à s'emparer de ce qui convient étroitement à sa personne ; et le langage même confond sous le nom de *bien* la notion de ce qui est adapté à quelqu'un et le satisfait entièrement avec celle de la propriété de ce quelqu'un...

Or Baudelaire, quoique illuminé et possédé par l'étude du *Principe poétique*, — ou, bien plutôt, par cela même qu'il en était illuminé et possédé, — n'a pas inséré la traduction de cet essai dans les œuvres mêmes d'Edgar Poe ; mais il en a introduit la partie la plus intéressante, à peine défigurée et les phrases interverties, dans la préface qu'il a placée en tête de sa traduction des *Histoires extraordinaires*. Le plagiat serait contestable si son auteur ne l'eût accusé lui-même comme on va le voir : dans un article sur Théophile Gautier*, il a reproduit tout le passage dont je parle, en le faisant précéder de ces lignes très claires et très surprenantes : *Il est permis quelquefois, je présume, de se citer soi-même pour éviter de se paraphraser. Je répéterai donc*... Suit le passage emprunté.

Que pensait donc Edgar Poe de la Poésie ?

Je résumerai ses idées en quelques mots. Il analyse les conditions psychologiques d'un poème. Parmi ces conditions, il met au premier rang celles qui dépendent des *dimensions* des ouvrages poétiques. Il donne à la considération de leur longueur une importance singulière. Il examine, d'autre part, la substance même de ces ouvrages. Il établit aisément qu'il existe une quantité de poèmes qui sont occupés de notions auxquelles la prose eût suffi comme véhicule. L'histoire, la science, ni la morale ne gagnent point à être exposées dans le langage de l'âme. La poésie didactique, la poésie historique ou l'éthique, quoique illustrées et consacrées par les plus grands poètes, combinent étrangement les données de la connaissance discursive ou empirique, avec les créations de l'être intime et les puissances de l'émotion.

Poe a compris que la poésie moderne devait se conformer à la tendance d'une époque qui a vu se séparer de plus en plus nettement les modes et les domaines de l'activité, et qu'elle pouvait prétendre à réaliser son objet propre et à se produire, en quelque sorte, *à l'état pur*.

Ainsi, analyse des conditions de la volupté poétique, définition par *exhaustion* de la *poésie absolue*, — Poe montrait une voie, il enseignait une doctrine très séduisante et très rigoureuse, dans laquelle une sorte de mathématique et une sorte de mystique s'unissaient...

Si nous regardons à présent l'ensemble des *Fleurs du Mal*, et si nous prenons soin de comparer ce recueil aux ouvrages

---

* Recueilli dans *l'Art romantique*.

poétiques de la même période, nous ne serons pas étonnés de trouver l'œuvre de Baudelaire remarquablement conforme aux préceptes de Poe, et par là remarquablement différente des productions romantiques. *Les Fleurs du Mal* ne contiennent ni poèmes historiques ni légendes ; rien qui repose sur un récit. On n'y voit point de tirades philosophiques. La politique n'y paraît point. Les descriptions y sont rares, et toujours *significatives*. Mais tout y est charme, musique, sensualité puissante et abstraite... Luxe, forme et volupté.

Il y a dans les meilleurs vers de Baudelaire une combinaison de chair et d'esprit, un mélange de solennité, de chaleur et d'amertume, d'éternité et d'intimité, une alliance rarissime de la volonté avec l'harmonie, qui les distinguent nettement des vers parnassiens. Le Parnasse ne fut pas excessivement tendre pour Baudelaire. Leconte de Lisle lui reprochait sa stérilité. Il oubliait que la véritable fécondité d'un poète ne consiste pas dans le nombre de ses vers, mais bien plutôt dans l'étendue de leurs effets. On ne peut en juger que dans la suite des temps. Nous voyons aujourd'hui que la résonance, après plus de soixante ans, de l'œuvre unique et très peu volumineuse de Baudelaire emplit encore toute la sphère poétique, qu'elle est présente aux esprits, impossible à négliger, renforcée par un nombre remarquable d'œuvres qui en dérivent, qui n'en sont point des imitations mais des conséquences, et qu'il faudrait donc, pour être équitable, adjoindre au mince recueil des *Fleurs du Mal* plusieurs ouvrages de premier ordre et un ensemble de recherches les plus profondes et les plus fines que jamais la poésie ait entreprises. L'influence des *Poèmes antiques* et des *Poèmes barbares* a été moins diverse et moins étendue.

Il faut reconnaître, cependant, que cette même influence, si elle se fût exercée sur Baudelaire, l'eût peut-être dissuadé d'écrire ou de conserver certains vers très relâchés qui se rencontrent dans son livre. Sur les quatorze vers du sonnet *Recueillement*, qui est une des plus charmantes pièces de l'ouvrage, je m'étonnerai toujours d'en compter cinq ou six qui sont d'une incontestable faiblesse. Mais les premiers et les derniers vers de cette poésie sont d'une telle magie que le milieu ne fait pas sentir son ineptie et se tient aisément pour nul et inexistant. Il faut un très grand poète pour ce genre de miracles.

Tout à l'heure je parlais de la production du *charme,* et voici que je viens de prononcer le nom de *miracle ;* et sans doute, ce sont des termes dont il faut user discrètement à cause de la force de leur sens et de la facilité de leur emploi ; mais je ne saurais les remplacer que par une analyse si longue, et peut-être si contestable, que l'on m'excusera de l'épargner à celui qui devrait la faire comme à ceux qui la devraient subir. Je demeurerai dans le vague, me bornant à suggérer ce qu'elle pourrait être. Il faudrait faire voir que le langage contient des ressources émotives mêlées à ses propriétés pratiques et directement significatives. Le devoir, le travail, la fonction du poète sont de mettre en évidence et en action ces puissances de mouvement et d'enchantement, ces excitants de la vie affective et de la sensibilité intellectuelle, qui sont confondus dans le langage usuel avec les signes et les moyens de communication de la vie ordinaire et superficielle. Le poète se consacre et se consume donc à définir et à construire un langage dans le langage ; et son opération, qui est longue, difficile, délicate, qui demande les qualités les plus diverses de l'esprit, et qui jamais n'est achevée comme jamais elle n'est exactement possible, tend à constituer le discours d'un être plus pur, plus puissant et plus profond dans ses pensées, plus intense dans sa vie, plus élégant et plus heureux dans sa parole que n'importe quelle personne réelle. Cette parole extraordinaire se fait connaître et reconnaître par le rythme et les harmonies qui la soutiennent et qui doivent être si intimement, et même si mystérieusement liés à sa génération, que le son et le sens ne se puissent plus séparer et se répondent indéfiniment dans la mémoire.

La poésie de Baudelaire doit sa durée et cet empire qu'elle exerce encore, à la plénitude et à la netteté singulière de son timbre. Cette voix, par instants, cède à l'éloquence, comme il arrivait un peu trop souvent aux poètes de cette époque ; mais elle garde et développe presque toujours une ligne mélodique admirablement pure et une sonorité parfaitement tenue qui la distinguent de toute prose.

Baudelaire, par là, a réagi très heureusement contre la tendance au prosaïsme qui s'observe dans la poésie française depuis le milieu du XVIIe siècle. Il est remarquable que le même homme, à qui nous devons ce retour de notre poésie vers son essence, est aussi l'un des premiers écrivains français qui se soient passionnément intéressés à la musique proprement dite. Je fais mention de ce goût, qui s'est manifesté par des articles célèbres sur *Tannhäuser* et sur *Lohengrin,* à cause du développement ultérieur de l'influence de la musique sur la littérature... « *Ce qui fut baptisé le Symbolisme se résume très simplement dans l'intention commune à plusieurs familles de poètes de reprendre à la musique leur bien...* »

Pour rendre moins imprécise et moins incomplète cette tentative d'explication de l'importance actuelle de Baudelaire, je devrais maintenant rappeler ce qu'il fut comme critique de la peinture. Il a connu Delacroix et Manet. Il a essayé de peser les mérites respectifs d'Ingres et de son rival, comme il a pu comparer dans leurs « réalismes » bien dissemblables les œuvres de Courbet avec celles de Manet. Il eut pour le grand Daumier une admiration que la postérité partage. Peut-être a-t-il exagéré la valeur de Constantin Guys... Mais, dans l'ensemble, ses jugements, toujours motivés et accompagnés des considérations les plus fines et les plus solides sur la peinture, demeurent des modèles du genre terriblement facile, et donc terriblement difficile, de la critique d'art.

Mais la plus grande gloire de Baudelaire, comme je vous l'ai fait pressentir dès le début de cette conférence, est sans doute d'avoir engendré quelques très grands poètes. Ni Verlaine, ni Mallarmé, ni Rimbaud n'eussent été ce qu'ils furent sans la lecture qu'ils firent des *Fleurs du Mal* à l'âge décisif. Il serait aisé de montrer, dans ce recueil, des poèmes dont la forme et l'inspiration préfigurent telles pièces de Verlaine, de Mallarmé ou de Rimbaud. Mais ces correspondances sont si claires, et le temps de votre attention si près d'expirer, que je n'entrerai point dans le détail. Je me bornerai à vous indiquer que le sens de l'intime, et le mélange puissant et trouble de l'émotion mystique et de l'ardeur sensuelle qui se développent dans Verlaine ; la frénésie du départ, le mouvement d'impatience excité par l'univers, la profonde conscience des sensations et de leurs résonances harmoniques, qui rendent si énergique et si active l'œuvre brève et violente de Rimbaud, sont nettement présents et reconnaissables dans Baudelaire. Quant à Stéphane Mallarmé, dont les premiers vers pourraient se confondre aux plus beaux et aux plus denses des *Fleurs du Mal,* il a poursuivi dans leurs conséquences les plus subtiles les recherches formelles et techniques dont les analyses d'Edgar Poe et les essais et les commentaires de Baudelaire lui avaient communiqué la passion et enseigné l'importance. Tandis que Verlaine et Rimbaud ont continué Baudelaire dans l'ordre du sentiment et de la sensation, Mallarmé l'a prolongé dans le domaine de la perfection et de la pureté poétique.

◆ Paul Valéry, *Passage de Verlaine* (*id., ibid.,* pp. 710-714).

Quelque chose d'invincible m'a toujours retenu d'aller faire la connaissance de Verlaine.

J'habitais tout auprès du Luxembourg ; il m'eût suffi de quelques pas pour atteindre la table de marbre où il siégeait de onze heures à midi, dans un arrière-café qui s'achevait, je ne sais pourquoi, en grotte de rocaille. Verlaine, jamais seul, était visible à travers le vitrage. Les verres, sur le marbre, tenaient une onde verte, qu'on eût dit puisée dans la nappe émeraude d'un billard, bassin de cette nymphée.

Ni les charmes d'une gloire qui était alors dans toute sa force ;

ni la curiosité que j'avais d'un tel poète, de qui les mille inventions musicales, les délicatesses et les profondeurs m'avaient été si précieuses ; ni même les attraits d'une carrière affreusement accidentée et d'une âme si puissante et si misérable, n'eurent jamais raison de mon obscure résistance à moi-même et d'une espèce d'horreur sacrée.

Mais je le voyais passer presque tous les jours, quand, au sortir de son antre grotesque, il gagnait, en gesticulant, quelque gargote du côté de Polytechnique. Ce maudit, ce béni, boitant, battait le sol du lourd bâton des vagabonds et des infirmes. Lamentable, et porteur de flammes dans ses yeux couverts de broussailles, il étonnait la rue par sa brutale majesté et par l'éclat d'énormes propos. Flanqué de ses amis, s'appuyant au bras d'une femme, il parlait, pilant son chemin, à sa pieuse petite escorte. Il créait de brusques arrêts, furieusement consacrés à la plénitude de l'invective. Puis la dispute s'ébranlait. Verlaine, avec les siens, s'éloignait, dans un frappement pénible de galoches et de gourdin, développant une colère magnifique, qui se changeait quelquefois, comme par miracle, en un rire presque aussi neuf qu'un rire d'enfant.

Quelques minutes avant lui, je manquais rarement d'apercevoir un passant d'une tout autre espèce. Celui-ci avait le dos voûté, la barbe brève, le vêtement sage et sérieux, la rosette. Son regard était vide et fixe, à travers le tremblement de cristal de son binocle. Il marchait, vaguement conduit par son front lourd et penché. Le souci de ses pas incertains semblait abandonné aux puissances inférieures de son être. Le doigt distrait de cet illustre passant décrivait, le long des murs fuyant à l'inverse de sa marche, des arcs inconscients, qui trahissaient l'état profond d'un cerveau de géomètre ; et le corps de son esprit se déplaçait comme il pouvait dans notre monde, qui n'est qu'un certain monde d'entre les mondes possibles. L'éternel travail intérieur, qui conduit les penseurs à leur lumière, à la gloire, et quelquefois, indifféremment, à leur mort sous les roues d'un chariot, possédait Henri Poincaré.

Mû régulièrement, comme Verlaine, par la loi de se mettre à table, Poincaré, regagnant sa demeure, précédait Verlaine sur ce trottoir. Il me semblait prédire l'apparition du poète — à dix minutes près. Je m'amusais de ces passages au méridien d'astres si dissemblables... Je songeais à l'immensité de leur intervalle spirituel. Quelle imagerie différente dans ces deux têtes ! Quels effets incomparables la vision d'une même rue pouvait produire dans ces deux systèmes qui se succédaient de si près ! Il me fallait choisir, pour y penser, entre deux ordres de choses admirables qui s'excluent dans leurs apparences, qui se ressemblent par la pureté et la profondeur de leurs objets...

Mais, à ces deux passants, je ne trouvais enfin de commun que leur obéissance pareille aux secrètes sommations de midi. Ce quartier était assez peuplé de dieux et de demi-dieux, qui se manifestaient à heures fixes, les uns dans leurs chaires, les autres sur les bords de leurs soucoupes. Ils s'ignoraient entre eux. Je ne parle pas des déesses ni des nymphes ; on en voyait un peu partout. Vers deux heures, Leconte de Lisle apparaissait parmi les arbres du jardin. Il allait, avec dignité, de l'Ecole des mines à sa bibliothèque du Sénat, passait au point même où sa statue est aujourd'hui visible... Je ne dis pas qu'on la regarde : on peut l'y voir.

En ce temps-là, Leconte de Lisle, tout vivant et vénérable qu'il était, était déjà pour un grand nombre une ombre vaine. Il était, du moins, hors de cause ; ce qui était injuste et conforme aux lois naturelles. Les très jeunes orgueils se cherchaient des poétiques nouvelles, que les uns désiraient plus complexes, et les autres tout autres que la sienne. Ces tendances innombrables n'avaient guère de commun que l'essentiel, — la passion poétique elle-même. Il est permis, de si loin, de les voir se grouper en deux vastes classes : celle des fidèles de Verlaine et celle des disciples de Mallarmé. La division est très grossière : elle dédaigne les nuances, les mélanges, les flottements et les reprises, c'est-à-dire les individus.

Leconte de Lisle aurait pu, d'un œil philosophique et satisfait, considérer que cette postérité rebelle avait en somme pour guides, sinon pour auteurs, deux fils prodigues du Parnasse. J'ai grand'peur qu'il n'ait jamais fait que maudire, avec une certaine verve amère, ses enfants et ses petits-enfants.

La poésie est l'ambition d'un discours qui soit chargé de plus de sens, et mêlé de plus de musique, que le langage ordinaire n'en porte et n'en peut porter. Rien de plus simple à concevoir que le désir d'accroître indéfiniment cette charge de merveilles, qui se superpose, ou se substitue, à la charge utile du langage. Mais cet accroissement a des limites qui s'atteignent aisément ; l'équilibre qu'il faut maintenir dans le lecteur, entre l'effort qu'on en exige et les forces qu'on lui suggère, ne demande qu'à se rompre. L'obscurité, d'une part ; l'inanité, de l'autre ; le vague excessif, l'absurde, la singularité personnelle exagérée, tous ces dangers qui ne cessent de veiller étroitement autour des ouvrages de l'esprit menacent spécialement les poèmes et les sollicitent vers les abîmes de l'oubli. Ils succombent assez souvent à la propre masse des beautés qu'on voulut y mettre, et sous le noble faix des intentions et des ornements. L'avenir, quelquefois, se heurtera dans leurs décombres à d'incomparables débris. On ramassera les plus beaux vers du monde dans ces ruines, où il s'en trouve de si purs qu'il fallait bien que pérît autour d'eux tout le reste de l'édifice...

La poésie comporte donc de grands risques, sans lesquels elle n'existerait pas. Ces grands risques se font immenses quand l'art vient de connaître une ère éblouissante de triomphes et une série trop heureuse de réussites et de beaux coups, qui semblent avoir épuisé toutes les chances et d'avance appauvri toute génération qui suit immédiatement une génération trop favorisée. C'est un grand malheur que l'on naisse au milieu de chefs-d'œuvre récents, et qu'il faille désespérément faire tout autre chose.

Verlaine et Mallarmé, parus à un tel moment, après tant de maîtres, du vivant même de Victor Hugo et de Baudelaire, et issus de ce groupe du Parnasse qui forme une sorte de grand poète à plusieurs têtes, durent prendre la suite du jeu et s'asseoir à la place même des joueurs les plus fortunés. Ils furent conduits, chacun selon sa nature, l'un à renouveler, l'autre à parfaire notre poésie antérieure.

Stéphane Mallarmé, génie essentiellement formel, s'élevant, peu à peu, à la conception abstraite de toutes les combinaisons de figures et de tours, s'est fait le premier écrivain qui ait osé envisager le problème littéraire dans son entière universalité. Je dirai seulement qu'il a conçu comme algèbre ce que tous les autres n'ont pensé que dans la particularité de l'arithmétique...

Verlaine — mais c'est tout le contraire. Jamais contraste plus véritable. Son œuvre ne vise pas à définir un autre monde plus pur et plus incorruptible que le nôtre et comme complet en lui-même, mais elle admet dans la poésie toute la variété de l'âme telle quelle. Verlaine se propose aussi intime qu'il le puisse ; il est plein d'inégalités qui le font infiniment proche du lecteur. Son vers, libre et mobile entre les extrêmes du langage, ose descendre du ton le plus délicatement musical jusqu'à la prose, parfois à la pire des proses, qu'il emprunte et qu'il épouse délibérément. Rien ne le distingue plus nettement de Mallarmé, de qui le vers ne laisse jamais aucun doute sur sa qualité de vers ; il est toujours lumineusement ce qui ne peut pas être prose.

Quant à l'ingénuité de Verlaine et de son art, il ne fait aucun doute qu'elle n'a jamais existé. Sa poésie est bien loin d'être naïve, étant impossible à un vrai poète d'être naïf. On oublie très aisément que, par nécessité de son état, le poète doit être le dernier des hommes à se payer de mots.

2. LA DOCTRINE SYMBOLISTE

2.1. UN EXPOSÉ D'ENSEMBLE : J. MORÉAS, *LE SYM-BOLISME*

Dans un entretien accordé au *Figaro littéraire* (18 sept. 1886), J. Moréas déclarait notamment :

(« Depuis deux ans, la presse parisienne s'est beaucoup occupée d'une école de poètes et de prosateurs dits « décadents ». Le conteur du *Thé chez Miranda* [en collaboration avec M. Paul Adam, l'auteur de *Soi*], le poète des *Syrtes* et des *Cantilènes,* M. Jean Moréas, un des plus en vue parmi ces révolutionnaires des lettres, a formulé, sur notre demande, pour les lecteurs du Supplément, les principes fondamentaux de la nouvelle manifestation d'art ».)

Comme tous les arts, la littérature évolue : évolution cyclique avec des retours strictement déterminés et qui se compliquent des diverses modifications apportées par la marche du temps et les bouleversements des milieux. Il serait superflu de faire observer que chaque nouvelle phase évolutive de l'art correspond exactement à la décrépitude sénile, à l'inéluctable fin de l'école immédiatement antérieure. Deux exemples suffiront : Ronsard triomphe de l'impuissance des derniers imitateurs de Marot, le romantisme éploie ses oriflammes sur les décombres classiques mal gardés par Casimir Delavigne et Etienne de Jouy. C'est que toute manifestation d'art arrive fatalement à s'appauvrir, à s'épuiser ; alors, de copie en copie, d'imitation en imitation, ce qui fut plein de sève et de fraîcheur se dessèche et se recroqueville ; ce qui fut le neuf et le spontané devient le poncif et le lieu commun.

Ainsi le romantisme, après avoir sonné tous les tumultueux tocsins de la révolte, après avoir eu ses jours de gloire et de bataille, perdit de sa force et de sa grâce, abdiqua ses audaces héroïques, se fit rangé, sceptique et plein de bon sens ; dans l'honorable et mesquine tentative des Parnassiens, il espéra de fallacieux renouveaux, puis finalement, tel un monarque tombé en enfance, il se laissa déposer par le naturalisme auquel on ne peut accorder sérieusement qu'une valeur de protestation, légitime mais mal avisée, contre les fadeurs de quelques romanciers alors à la mode.

Une nouvelle manifestation d'art était donc attendue, nécessaire, inévitable. Cette manifestation, couvée depuis longtemps, vient d'éclore. Et toutes les anodines facéties des joyeux de la presse, toutes les inquiétudes des critiques graves, toute la mauvaise humeur du public surpris dans ses nonchalances moutonnières ne font qu'affirmer chaque jour davantage la vitalité de l'évolution actuelle dans les lettres françaises, cette évolution que des juges pressés notèrent, par une inexplicable antinomie, de décadence. Remarquez pourtant que les littératures décadentes se révèlent essentiellement coriaces, filandreuses, timorées et serviles : toutes les tragédies de Voltaire, par exemple, sont marquées de ces tavelures de décadence. Et que peut-on reprocher, que reproche-t-on à la nouvelle école ? L'abus de la pompe, l'étrangeté de la métaphore, un vocabulaire neuf où les harmonies se combinent avec les couleurs et les lignes : caractéristiques de toute renaissance.

Nous avons déjà proposé la dénomination de *symbolisme* comme la seule capable de désigner raisonnablement la tendance actuelle de l'esprit créateur en art. Cette dénomination peut être maintenue.

Il a été dit au commencement de cet article que les évolutions d'art offrent un caractère cyclique extrêmement compliqué de divergences : ainsi, pour suivre l'exacte filiation de la nouvelle école, il faudrait remonter jusqu'à certains poèmes d'Alfred de Vigny, jusques à Shakespeare, jusques aux mystiques, plus loin encore. Ces questions demanderaient un volume de commentaires ; disons donc que Charles Baudelaire doit être considéré comme le véritable précurseur du mouvement actuel ; M. Stéphane Mallarmé le lotit du sens du mystère et de l'ineffable ; M. Paul Verlaine brisa en son honneur les cruelles entraves du vers que les doigts prestigieux de M. Théodore de Banville avaient assoupli auparavant. Cependant le Suprême enchantement n'est pas encore consommé : un labeur opiniâtre et jaloux sollicite les nouveaux venus.

Ennemie de l'enseignement, la déclamation, la fausse sensibilité, la description objective, la poésie symbolique cherche à vêtir l'Idée d'une forme sensible qui, néanmoins, ne serait pas son but à elle-même, mais qui, tout en servant à exprimer l'Idée, demeurerait sujette. L'Idée, à son tour, ne doit point se laisser voir privée des somptueuses simarres des analogies extérieures ; car le caractère essentiel de l'art symbolique consiste à ne jamais aller jusqu'à la concentration de l'Idée en soi. Ainsi, dans cet art, les tableaux de la nature, les actions des humains, tous les phénomènes concrets ne sauraient se manifester eux-mêmes ; ce sont là des apparences sensibles destinées à représenter leurs affinités ésotériques avec des Idées primordiales.

L'accusation d'obscurité lancée contre une telle esthétique par des lecteurs à bâtons rompus n'a rien qui puisse surprendre. Mais qu'y faire ? *Les Pythiques* de Pindare, l'*Hamlet* de Shakespeare, la *Vita Nuova* de Dante, le *Second Faust* de

Goethe, la *Tentation de saint Antoine* de Flaubert ne furent-ils pas aussi taxés d'ambiguïté ?

Pour la traduction exacte de sa synthèse, il faut au Symbolisme un style archétype et complexe : d'impollués vocables, la période qui s'arc-boute alternant avec la période aux défaillances ondulées, les pléonasmes significatifs, les mystérieuses ellipses, l'anacoluthe en suspens, tout trop hardi et multiforme ; enfin la bonne langue — instaurée et modernisée —, la bonne et luxuriante et fringante langue française d'avant les Vaugelas et les Boileau-Despréaux, la langue de François Rabelais et de Philippe de Commines, de Villon, de Rutebeuf et de tant d'autres écrivains libres et dardant le terme du langage, tels des Toxotes de Thrace leurs flèches sinueuses.

Le *rythme :* l'ancienne métrique avivée ; un désordre savamment ordonné ; la rime illucescente et martelée comme un bouclier d'or et d'airain, auprès de la rime aux fluidités absconses ; l'alexandrin à arrêts multiples et mobiles ; l'emploi de certains nombres premiers — sept, neuf, onze, treize, — résolus en les diverses combinaisons rythmiques dont ils sont les sommes.

2.2. MONDE NATUREL ET MONDE SPIRITUEL SONT UN

◆ Baudelaire, « Correspondances » (*les Fleurs du Mal*).

La Nature est un temple où de vivants piliers
Laissent parfois sortir de confuses paroles :
L'homme y passe à travers des forêts de symboles
Qui l'observent avec des regards familiers.

Comme de longs échos qui de loin se confondent
Dans une ténébreuse et profonde unité
Vaste comme la nuit et comme la clarté,
Les parfums, les couleurs et les sons se répondent.

Il est des parfums frais comme des chairs d'enfants,
Doux comme les hautbois, verts comme les prairies,
— Et d'autres, corrompus, riches et triomphants,

Ayant l'expansion des choses infinies,
Comme l'ambre, le musc, le benjoin et l'encens,
Qui chantent les transports de l'esprit et des sens.

◆ Baudelaire, *Réflexions sur quelques-uns de mes contemporains : V. Hugo* (II).

Dans ces temps, déjà si lointains, dont je parlais, temps heureux où les littérateurs étaient, les uns pour les autres, une société que les survivants regrettent et dont ils ne trouveront plus l'analogue, Victor Hugo représentait celui vers qui chacun se tourne pour demander le mot d'ordre. Jamais royauté ne fut plus légitime, plus naturelle, plus acclamée par la reconnaissance, plus confirmée par l'impuissance de la rébellion. Quand on se figure ce qu'était la poésie française avant qu'il apparût, et quel rajeunissement elle a subi depuis qu'il est venu ; quand on imagine ce peu qu'elle eût été s'il n'était pas venu ; combien de sentiments mystérieux et profonds, qui ont été exprimés, seraient restés muets ; combien d'intelligences il a accouchées, combien d'hommes qui ont rayonné par lui seraient restés obscurs, il est impossible de ne pas le considérer comme un de ces esprits rares et providentiels qui opèrent, dans l'ordre littéraire, le salut de tous, comme d'autres dans l'ordre moral et d'autres dans l'ordre politique. Le mouvement créé par Victor Hugo se continue encore sous nos yeux. Qu'il ait été puissamment secondé, personne ne le nie ; mais si aujourd'hui des hommes mûrs, des jeunes gens, des femmes du monde ont le sentiment de la bonne poésie, de la poésie profondément rythmée et vivement colorée, si le goût public s'est haussé vers des jouissances qu'il avait oubliées, c'est à Victor Hugo qu'on le doit. C'est encore son instigation puissante qui, par la main des architectes érudits et enthousiastes, répare nos cathédrales et consolide nos vieux souvenirs de pierre. Il ne coûtera à personne d'avouer tout cela, excepté à ceux pour qui la justice n'est pas une volupté.

Je ne puis parler ici de ses facultés poétiques que d'une manière abrégée. Sans doute, en plusieurs points, je ne ferai que résumer beaucoup d'excellentes choses qui ont été dites ; peut-être aurai-je le bonheur de les accentuer plus vivement. Victor Hugo était, dès le principe, l'homme le mieux doué, le plus visiblement élu pour exprimer par la poésie ce que j'appellerai le *mystère de la vie*. La nature qui pose devant nous, de quelque côté que nous nous tournions, et qui nous enveloppe comme un mystère, se présente sous plusieurs états simultanés dont chacun, selon qu'il est plus intelligible, plus sensible pour nous, se reflète plus vivement dans nos cœurs : forme, attitude et mouvement, lumière et couleur, son et harmonie. La musique des vers de Victor Hugo s'adapte aux profondes harmonies de la nature ; sculpteur, il découpe dans ses strophes la forme inoubliable des choses ; peintre, il les illumine de leur couleur propre. Et, comme si elles venaient directement de la nature, les trois impressions pénètrent simultanément le cerveau du lecteur. De cette triple impression résulte la *morale des choses*. Aucun artiste n'est plus universel que lui, plus apte à se mettre en contact avec les forces de la vie universelle, plus disposé à prendre sans cesse un bain de nature. Non seulement il exprime nettement, il traduit littéralement la lettre nette et claire ; mais il exprime, avec l'*obscurité indispensable,* ce qui est obscur et confusément révélé. Ses œuvres abondent en traits extraordinaires de ce genre, que nous pourrions appeler des tours de force si nous ne savions pas qu'ils lui sont essentiellement naturels. Le vers de Victor Hugo sait traduire pour l'âme humaine non seulement les plaisirs les plus directs qu'elle tire de la nature visible, mais encore les sensations les plus fugitives, les plus compliquées, les plus morales (je dis exprès sensations morales) qui nous sont transmises par l'être visible, par la nature inanimée, ou dite inanimée; non seulement, la figure d'un être extérieur à l'homme, végétal ou minéral, mais aussi sa physionomie, son regard, sa tristesse, sa douceur, sa joie éclatante, sa haine répulsive, son enchantement ou son horreur; enfin, en d'autres termes, tout ce qu'il y a d'humain dans n'importe quoi, et aussi tout ce qu'il y a de divin, de sacré ou de diabolique.

Ceux qui ne sont pas poètes ne comprennent pas ces choses. Fourier est venu un jour, trop pompeusement, nous révéler les mystères de l'*analogie.* Je ne nie pas la valeur de quelques-unes de ses minutieuses découvertes, bien que je croie que son cerveau était trop épris d'exactitude matérielle pour ne pas commettre d'erreurs et pour atteindre d'emblée la certitude morale de l'intuition. Il aurait pu tout aussi précieusement nous révéler tous les excellents poètes dans lesquels l'humanité lisante fait son éducation aussi bien que dans la contemplation de la nature. D'ailleurs Swedenborg, qui possédait une âme bien plus grande nous avait déjà enseigné que *le ciel est un très grand homme;* que tout, forme, mouvement, nombre, couleur, parfum, dans le *spirituel* comme dans le *naturel,* est significatif, réciproque, converse, *correspondant.* Lavater, limitant au visage de l'homme la démonstration de l'universelle vérité, nous avait traduit le sens spirituel du contour, de la forme, de la dimension. Si nous étendons la démonstration (non seulement nous en avons le droit, mais il nous serait infiniment difficile de faire autrement), nous arrivons à cette vérité que tout est hiéroglyphique, et nous savons que les symboles ne sont obscurs que d'une manière relative, c'est-à-dire selon la pureté, la bonne volonté ou la clairvoyance native des âmes. Or qu'est-ce qu'un poète (je prends le mot dans son acception la plus large), si ce n'est un traducteur, un déchiffreur? Chez les excellents poètes, il n'y a pas de métaphore, de comparaison ou d'épithète qui ne soit d'une adaptation mathématiquement exacte dans la circonstance actuelle, parce que ces comparaisons, ces métaphores et ces épithètes sont puisées dans l'inépuisable fonds de l'*universelle analogie,* et qu'elles ne peuvent être puisées ailleurs. Maintenant, je demanderai si l'on trouvera, en cherchant minutieusement, non pas dans notre histoire seulement, mais dans l'histoire de tous les peuples, beaucoup de poètes qui soient, comme Victor

Hugo, un si magnifique répertoire d'analogies humaines et divines. Je vois dans la Bible un prophète à qui Dieu ordonne de manger un livre. J'ignore dans quel monde Victor Hugo a mangé préalablement le dictionnaire de la langue qu'il était appelé à parler ; mais je vois que le lexique français, en sortant de sa bouche, est devenu un monde, un univers coloré, mélodieux et mouvant. Par suite de quelles circonstances historiques, fatalités philosophiques, conjonctions sidérales, cet homme est-il né parmi nous, je n'en sais rien, et je ne crois pas qu'il soit de mon devoir de l'examiner ici. Peut-être est-ce simplement parce que l'Allemagne avait eu Gœthe, et l'Angleterre Shakspeare et Byron, que Victor Hugo était légitimement dû à la France. Je vois, par l'histoire des peuples, que chacun à son tour est appelé à conquérir le monde ; peut-être en est-il de la domination poétique comme du règne de l'épée.

De cette faculté d'absorption de la vie extérieure, unique par son ampleur, et de cette autre faculté puissante de méditation est résulté, dans Victor Hugo, un caractère poétique très particulier, interrogatif, mystérieux et, comme la nature, immense et minutieux, calme et agité. Voltaire ne voyait de mystère en rien ou qu'en bien peu de choses. Mais Victor Hugo ne tranche pas le nœud gordien des choses avec la pétulance militaire de Voltaire ; ses sens subtils lui révèlent des abîmes ; il voit le mystère partout. Et, de fait, où n'est-il pas ? De là dérive ce sentiment d'effroi qui pénètre plusieurs de ses plus beaux poèmes ; de là ces turbulences, ces accumulations, ces écroulements de vers, ces masses d'images orageuses, emportées avec la vitesse d'un chaos qui fuit ; de là ces répétitions fréquentes de mots, tous destinés à exprimer les ténèbres captivantes ou l'énigmatique physionomie du mystère.

2.3. L'APPARENCE ET LE RÉEL

◆ G. de Nerval, « Vers dorés » (les Chimères).

> Eh quoi ! tout est sensible !
> Pythagore.

Homme, libre penseur ! te crois-tu seul pensant
Dans ce monde où la vie éclate en toute chose ?
Des forces que tu tiens ta liberté dispose,
Mais de tous tes conseils l'univers est absent.

Respecte dans la bête un esprit agissant :
Chaque fleur est une âme à la Nature éclose ;
Un mystère d'amour dans le métal repose ;
« Tout est sensible ! » Et tout sur ton être est puissant.

Crains, dans le mur aveugle, un regard qui t'épie :
A la matière même un verbe est attaché...
Ne la fais pas servir à quelque usage impie !

Souvent dans l'être obscur habite un Dieu caché ;
Et comme un œil naissant couvert par ses paupières,
Un pur esprit s'accroît sous l'écorce des pierres !

◆ V. Hugo, « Ce que dit la bouche d'ombre » (v. 7-49) [*les Contemplations,* VI].

Sache que tout connaît sa loi, son but, sa route ;
Que, de l'astre au ciron, l'immensité s'écoute ;
Que tout a conscience en la création ;
Et l'oreille pourrait avoir sa vision,
Car les choses et l'être ont un grand dialogue.
Tout parle ; l'air qui passe et l'alcyon qui vogue,
Le brin d'herbe, la fleur, le germe, l'élément.
T'imaginais-tu donc l'univers autrement ?
Crois-tu que Dieu, par qui la forme sort du nombre,
Aurait fait à jamais sonner la forêt sombre,
L'orage, le torrent roulant de noirs limons,
Le rocher dans les flots, la bête dans les monts,
La mouche, le buisson, la ronce où croît la mûre,
Et qu'il n'aurait rien mis dans l'éternel murmure ?
Crois-tu que l'eau du fleuve et les arbres des bois,
S'ils n'avaient rien à dire, élèveraient la voix ?
Prends-tu le vent des mers pour un joueur de flûte ?
Crois-tu que l'océan, qui se gonfle et qui lutte,
Serait content d'ouvrir sa gueule jour et nuit
Pour souffler dans le vide une vapeur de bruit,
Et qu'il voudrait rugir, sous l'ouragan qui vole,
Si son rugissement n'était une parole ?
Crois-tu que le tombeau, d'herbe et de nuit vêtu,
Ne soit rien qu'un silence ? et te figures-tu
Que la création profonde, qui compose
Sa rumeur des frissons du lys et de la rose,
De la foudre, des flots, des souffles du ciel bleu,
Ne sait ce qu'elle dit quand elle parle à Dieu ?
Crois-tu qu'elle ne soit qu'une langue épaissie ?
Crois-tu que la nature énorme balbutie,
Et que Dieu se serait, dans son immensité,
Donné pour tout plaisir, pendant l'éternité,
D'entendre bégayer une sourde-muette ?
Non, l'abîme est un prêtre et l'ombre est un poète ;
Non, tout est une voix et tout est un parfum ;
Tout dit dans l'infini quelque chose à quelqu'un ;
Une pensée emplit le tumulte superbe.
Dieu n'a pas fait un bruit sans y mêler le Verbe.
Tout, comme toi, gémit, ou chante comme moi ;
Tout parle. Et maintenant, homme, sais-tu pourquoi

Tout parle? Ecoute bien. C'est que vents, ondes,
[flammes,
Arbres, roseaux, rochers, tout vit!
Tout est plein d'âmes.
Mais comment? Oh! voilà le mystère inouï.

◆ A. Rimbaud, *Lettre à Paul Demeny* (15 mai 1871).

J'ai résolu de vous donner une heure de littérature nouvelle.
Je commence de suite par un psaume d'actualité :

CHANT DE GUERRE PARISIEN

Le printemps est évident, car...
. . . .

A. RIMBAUD.

— Voici de la prose sur l'avenir de la poésie : — Toute
poésie antique aboutit à la poésie grecque, Vie harmonieuse.
— De la Grèce au mouvement romantique, — moyen-âge,
— il y a des lettrés, des versificateurs. D'Ennius à Theroldus,
de Theroldus à Casimir Delavigne, tout est prose rimée, un
jeu, avachissement et gloire d'innombrables générations
idiotes : Racine est le pur, le fort, le grand. — On eût soufflé
sur ses rimes, brouillé ses hémistiches, que le Divin Sot serait
aujourd'hui aussi ignoré que le premier venu auteur d'*Origines*. — Après Racine, le jeu moisit. Il a duré deux mille ans !
Ni plaisanterie, ni paradoxe. La raison m'inspire plus de cer-
titudes sur le sujet que n'aurait jamais eu de colères un Jeune-
France. Du reste, libre aux *nouveaux* d'exécrer les ancêtres :
on est chez soi et l'on a le temps.

On n'a jamais bien jugé le romantisme. Qui l'aurait jugé? Les
Critiques! Les Romantiques! qui prouvent si bien que la chanson est si peu souvent l'œuvre, c'est-à-dire la pensée chantée
et comprise du chanteur.

Car JE est un autre. Si le cuivre s'éveille clairon, il n'y a rien
de sa faute. Cela m'est évident : j'assiste à l'éclosion de ma
pensée : je la regarde, je l'écoute : je lance un coup d'archet :
la symphonie fait son remuement dans les profondeurs, ou
vient d'un bond sur la scène.

Si les vieux imbéciles n'avaient pas trouvé du Moi que la signification fausse, nous n'aurions pas à balayer ces millions de
squelettes qui, depuis un temps infini, ont accumulé les pro-
duits de leur intelligence borgnesse, en s'en clamant les
auteurs !

En Grèce, ai-je dit, vers et lyres rythment l'Action. Après,
musique et rimes sont jeux, délassements. L'étude de ce passé
charme les curieux : plusieurs s'éjouissent à renouveler ces
antiquités : — c'est pour eux. L'intelligence universelle a
toujours jeté ses idées naturellement ; les hommes ramassaient

une partie de ces fruits du cerveau : on agissait par, on en écrivait des livres : telle allait la marche, l'homme ne se travaillant pas, n'étant pas encore éveillé, ou pas encore dans la plénitude du grand songe. Des fonctionnaires, des écrivains : auteur, créateur, poëte, cet homme n'a jamais existé !

La première étude de l'homme qui veut être poëte est sa propre connaissance, entière ; il cherche son âme, il l'inspecte, il la tente, l'apprend. Dès qu'il la sait, il doit la cultiver ! Cela semble simple : en tout cerveau s'accomplit un développement naturel ; tant d'*égoïstes* se proclament auteurs ; il en est bien d'autres qui s'attribuent leur progrès intellectuel ! — Mais il s'agit de faire l'âme monstrueuse : à l'instar des comprachicos, quoi ! Imaginez un homme s'implantant et se cultivant des verrues sur le visage.

Je dis qu'il faut être *voyant*, se faire *voyant*.

Le Poëte se fait *voyant* par un long, immense et raisonné *dérèglement* de *tous les sens*. Toutes les formes d'amour, de souffrance, de folie ; il cherche lui-même, il épuise en lui tous les poisons, pour n'en garder que les quintessences. Ineffable torture où il a besoin de toute la foi, de toute la force surhumaine, où il devient entre tous le grand malade, le grand criminel, le grand maudit, — et le suprême Savant ! — Car il arrive à l'*inconnu* ! Puisqu'il a cultivé son âme, déjà riche, plus qu'aucun ! Il arrive à l'inconnu, et quand, affolé, il finirait par perdre l'intelligence de ses visions, il les a vues ! Qu'il crève dans son bondissement par les choses inouïes et innommables : viendront d'autres horribles travailleurs ; ils commenceront par les horizons où l'autre s'est affaissé !

— La suite à six minutes —

Ici j'intercale un second psaume *hors du texte :* veuillez tendre une oreille complaisante, — et tout le monde sera charmé. — J'ai l'archet en main, je commence :

MES PETITES AMOUREUSES

Un hydrolat lacrymal lave...

. . . .

A. R.

Voilà. Et remarquez bien que, si je ne craignais de vous faire débourser plus de 60 c. de port, — moi pauvre effaré qui, depuis sept mois, n'ai pas tenu un seul rond de bronze ! — je vous livrerais encore mes *Amants de Paris,* cent hexamètres, Monsieur, et ma *Mort de Paris,* deux cents hexamètres !

— Je reprends :

Donc le poëte est vraiment voleur de feu.

Il est chargé de l'humanité, des *animaux* même ; il devra faire sentir, palper, écouter ses inventions ; si ce qu'il rapporte de *là-bas* a forme, il donne forme; si c'est informe, il donne l'informe. Trouver une langue; — Du reste, toute parole étant idée, le temps d'un langage universel viendra! Il faut être académicien — plus mort qu'un fossile, — pour parfaire un dictionnaire, de quelque langue que ce soit. Des faibles se mettraient *à penser* sur la première lettre de l'alphabet, qui pourraient vite ruer dans la folie!

Cette langue sera de l'âme pour l'âme, résumant tout, parfums, sons, couleurs, de la pensée accrochant la pensée et tirant. Le poëte définirait la quantité d'inconnu s'éveillant en son temps dans l'âme universelle : il donnerait plus — que la formule de sa pensée, que l'annotation *de sa marche au Progrès!* Enormité devenant norme, absorbée par tous, il serait vraiment *un multiplicateur de progrès!*

Cet avenir sera matérialiste, vous le voyez. — Toujours pleins du *Nombre* et de l'*Harmonie,* ces poèmes seront faits pour rester. — Au fond, ce serait encore un peu la Poésie grecque. L'art éternel aurait ses fonctions, comme les poëtes sont citoyens. La Poésie ne rythmera plus l'action; elle *sera en avant.*

Ces poëtes seront! Quand sera brisé l'infini servage de la femme, quand elle vivra pour elle et par elle, l'homme, — jusqu'ici abominable, — lui ayant donné son renvoi, elle sera poëte, elle aussi! La femme trouvera de l'inconnu! Ses mondes d'idées différeront-ils des nôtres? — Elle trouvera des choses étranges, insondables, repoussantes, délicieuses; nous les prendrons, nous les comprendrons.

En attendant, demandons au *poëte* du *nouveau,* — idées et formes. Tous les habiles croiraient bientôt avoir satisfait à cette demande : — ce n'est pas cela!

Les premiers romantiques ont été *voyants* sans trop bien s'en rendre compte : la culture de leurs âmes s'est commencée aux accidents : locomotives abandonnées, mais brûlantes, que prennent quelque temps les rails. — Lamartine est quelquefois voyant, mais étranglé par la forme vieille. — Hugo, *trop cabochard,* a bien du vu dans les derniers volumes : *les Misérables* sont un vrai *poème.* J'ai *les Châtiments* sous main; *Stella* donne à peu près la mesure de la *vue* de Hugo. Trop de Belmontet et de Lamennais, de Jehovahs et de colonnes, vieilles énormités crevées.

Musset est quatorze fois exécrable pour nous, générations douloureuses et prises de visions, — que sa paresse d'ange a insultées! O! les contes et les proverbes fadasses! ô les *Nuits!* ô *Rolla,* ô *Namouna,* ô *la Coupe!* tout est français, c'est-à-dire haïssable au suprême degré; français, pas parisien! Encore une œuvre de cet odieux génie qui a inspiré Rabelais, Voltaire, Jean La Fontaine, commenté par M. Taine! Printanier, l'esprit de Musset ! Charmant, son amour ! En voilà, de la peinture à l'émail, de la poésie solide ! On savourera longtemps la poésie *française,* mais en France. Tout garçon épicier est en mesure de débobiner une apostrophe Rollaque, tout séminariste emporte les cinq cents rimes dans le secret d'un carnet. A quinze ans, ces élans de passion mettent les jeunes en rut ; à seize ans, ils se contentent déjà de les réciter avec *cœur ;* à dix-huit ans, à dix-sept même, tout collégien qui a le moyen fait le Rolla, écrit un Rolla ! Quelques-uns en meurent peut-être encore. Musset n'a rien su faire : il y avait des visions derrière la gaze des rideaux : il a fermé les yeux. Français, panadis, traîné de l'estaminet au pupitre de collège, le beau mort est mort, et, désormais, ne nous donnons même plus la peine de le réveiller par nos abominations !

Les seconds romantiques sont très *voyants :* Théophile Gautier, Leconte de Lisle, Théodore de Banville. Mais inspecter l'invisible et entendre l'inouï étant autre chose que reprendre l'esprit des choses mortes, Baudelaire est le premier voyant, roi des poëtes, *un vrai Dieu.* Encore a-t-il vécu dans un milieu trop artiste ; et la forme si vantée en lui est mesquine. Les inventions d'inconnu réclament des formes nouvelles. •

Rompue aux formes vieilles, — parmi les innocents, A. Renaud, — a fait son Rolla ; — L. Grandet, — a fait son Rolla ; — les gaulois et les Mussets, G. Lafenestre, Coran, Cl. Popelin, Soulary, L. Salles ; les écoliers, Marc, Aicard, Theuriet ; les morts et les imbéciles, Autran, Barbier, L. Pichat, Lemoyne, les Deschamps, les Des Essarts ; les journalistes, L. Cladel, Robert Luzarches, X. de Ricard ; les fantaisistes, C. Mendès ; les bohèmes ; les femmes ; les talents, Léon Dierx et Sully-Prudhomme, Coppée ; — la nouvelle école, dite parnassienne, a deux voyants, Albert Mérat et Paul Verlaine, un vrai poëte. — Voilà.

Ainsi je travaille à me rendre *voyant.* — Et finissons par un chant pieux.

ACCROUPISSEMENTS

Bien tard, quand il se sent l'estomac écœuré,

. . . .

Vous seriez exécrable de ne pas répondre : vite, car dans huit jours je serai à Paris, peut-être.

Au revoir,

A. RIMBAUD.

◆ E. Verhaeren, *Impressions* (III) [1887].

On part de la chose vue, ouïe, sentie, tâtée, goûtée, pour en faire naître l'évocation et la somme par l'idée. Un poète regarde Paris fourmillant de lumières nocturnes, émietté en une infinité de feux et colossal d'ombre et d'étendue. S'il en donne la vue directe, comme pourrait le faire Zola, c'est-à-dire en le décrivant dans ses rues, ses places, ses monuments, ses rampes de gaz, ses mers nocturnes d'encre, ses agitations fiévreuses sous les astres immobiles, il en présentera certes, une sensation très artistique, mais rien ne sera moins symboliste. Si, par contre, il en dresse pour l'esprit la vision indirecte, évocatoire, s'il prononce : « une immense algèbre dont la clef est perdue », cette phrase nue réalisera, loin de toute description et de toute notation de faits, le Paris lumineux, ténébreux et formidable.

> [*Impressions*, III, 1887]
> Mercure de France, éd.

⸮ On se référera en outre au *Traité du Narcisse* d'André Gide.

2.4. L'IDÉALISME

◆ Villiers de L'Isle-Adam, *Axel* (III, 1).

Sache une fois pour toujours, qu'il n'est d'autre univers pour toi que la conception même qui s'en réfléchit au fond de tes pensées ; — car tu ne peux le voir pleinement, ni le connaître, en distinguer même un seul point tel que ce mystérieux point doit être en sa réalité. Si, par impossible, tu pouvais, un moment, embrasser l'omnivision du monde, ce serait encore une illusion l'instant d'après, puisque l'univers change — comme tu changes toi-même — à chaque battement de tes veines, — et qu'ainsi son Apparaître, quel qu'il puisse être, n'est, en principe, que fictif, mobile, illusoire, insaisissable. Et tu en fais partie ! — Où ta limite, en lui ? Où la sienne, en toi ?... C'est toi qu'il appellerait l' « univers » s'il n'était aveugle et sans parole ! Il s'agit donc de t'en isoler ! de t'en affranchir ! de vaincre, en toi, ses fictions, ses mobilités, son illusoire, — son *caractère* ! Telle est la vérité, selon l'absolu que tu peux pressentir, car la Vérité n'est, elle-même, qu'une indécise conception de l'espèce où tu passes et qui prête à la Totalité les formes de son esprit. Si tu veux la posséder, crée-la ! comme tout le reste ! Tu n'emporteras, tu ne seras que ta création. Le monde n'aura jamais, pour toi, d'autre sens que celui que tu lui attribueras. Grandis-toi donc, sous ses voiles, en lui conférant le sens sublime de t'en délivrer ! Ne t'amoindris pas en t'asservissant aux sens d'esclave par lesquels il t'enserre et t'enchaîne. Puisque tu ne sortiras pas de l'illusion que tu te feras de l'univers, choisis la plus divine. Ne perds pas le temps à tressaillir, ni à somnoler dans une indolence incrédule ou indécise, ni à disputer avec le langage changeant de la poudre et de la vermine. Tu es ton futur créateur. Tu es un Dieu qui ne feint d'oublier sa toute-essence qu'afin d'en réaliser le rayonnement. Ce que tu nommes l'univers n'est que le résultat de cette feintise dont tu contiens le secret. Reconnais-toi ! Profère-toi dans l'Etre ! Extrais-toi de la geôle du monde, enfant des prisonniers. Evade-toi du Devenir ! Ta « Vérité » sera ce que tu l'auras conçue : son essence n'est-elle pas infinie, comme toi ! Ose donc l'enfanter la plus radieuse, c'est-à-dire la *choisir* telle... car elle aura, déjà, précédé de son être tes pensées, devant s'y *appeler* sous cette forme où tu l'y reconnaîtras !... — Conclus, enfin, qu'il est difficile de redevenir un Dieu — et passe outre : car cette pensée, même, si tu t'y arrêtes, devient inférieure : elle contient une hésitation stérile.

Ceci est la loi de l'Espérable : c'est l'évidence unique, attestée par notre infini intérieur. Le devoir est donc d'essayer, si l'on est *appelé* par le dieu que l'on porte ! Et voici que ceux-là qui ont osé, qui ont voulu, qui ont, en confiance natale, embrassé la loi du radical détachement des choses et conformé leur vie, tous leurs actes, et leurs plus intimes pensées, à la sublimité de cette doctrine, affranchissant leur être dans l'ascétisme, — voici que, tout à coup, ces élus de l'Esprit sentent effluer d'eux-mêmes ou leur provenir, de toutes parts, dans la vastitude, mille et mille invisibles fils vibrants en lesquels court leur Volonté sur les événements du monde, sur les phases des destins, des empires, sur l'influente lueur des astres, sur les forces déchaînées des éléments ? Et, de plus en plus, ils grandissent en cette puissance, à chaque degré de pureté conquise ! C'est la sanction de l'Espérable. C'est là le seuil du monde occulte.

◆ Mallarmé, *l'Après-midi d'un faune* (v. 23-62) [Gallimard, Bibl. de la Pléiade].

> Ô bords siciliens d'un calme marécage
> Qu'à l'envi de soleils ma vanité saccage,
> Tacite sous les fleurs d'étincelles, CONTEZ
> « *Que je coupais ici les creux roseaux domptés*
> « *Par le talent ; quand, sur l'or glauque de lointaines*
> « *Verdures dédiant leur vigne à des fontaines,*
> « *Ondoie une blancheur animale au repos :*
> « *Et qu'au prélude lent où naissent les pipeaux*
> « *Ce vol de cygnes, non ! de naïades se sauve*
> « *Ou plonge...* »
>
>   Inerte, tout brûle dans l'heure fauve
> Sans marquer par quel art ensemble détala
> Trop d'hymen souhaité de qui cherche le *la* :
> Alors m'éveillerai-je à la ferveur première,
> Droit et seul, sous un flot antique de lumière,
> Lys ! et l'un de vous tous pour l'ingénuité.

Autre que ce doux rien par leur lèvre ébruité,
Le baiser, qui tout bas des perfides assure,
Mon sein, vierge de preuve, atteste une morsure
Mystérieuse, due à quelque auguste dent ;
Mais, bast ! arcane tel élut pour confident
Le jonc vaste et jumeau dont sous l'azur on joue :
Qui, détournant à soi le trouble de la joue,
Rêve, dans un solo long, que nous amusions
La beauté d'alentour par des confusions
Fausses entre elle-même et notre chant crédule ;
Et de faire aussi haut que l'amour se module
Evanouir du songe ordinaire de dos
Ou de flanc pur suivis avec mes regards clos,
Une sonore, vaine et monotone ligne.

Tâche donc, instrument des fuites, ô maligne
Syrinx, de refleurir aux lacs où tu m'attends !
Moi, de ma rumeur fier, je vais parler longtemps
Des déesses ; et par d'idolâtres peintures,
A leur ombre enlever encore des ceintures :
Ainsi, quand des raisins j'ai sucé la clarté,
Pour bannir un regret par ma feinte écarté,
Rieur, j'élève au ciel d'été la grappe vide
Et, soufflant dans ses peaux lumineuses, avide
D'ivresse, jusqu'au soir je regarde au travers.

O Nymphes, regonflons des SOUVENIRS divers.

3. DU SYMBOLE AU NÉANT

3.1. LE SYMBOLE

◆ Henri de Régnier, *Figures et caractères* (Mercure de France).

Le Symbole est le couronnement d'une série d'opérations intel-
lectuelles qui commencent au mot même, passent par l'image
et la métaphore, comprennent l'emblème et l'allégorie. Il est
la plus parfaite et la plus complète figuration de l'Idée. C'est
cette figuration expressive de l'Idée par le symbole que les
Poètes d'aujourd'hui tentèrent et réussirent plus d'une fois.
Ce très haut et très difficile désir artistique est tout à leur
honneur. Par là ils se rattachent à ce qu'il y a de plus essentiel
en poésie.

Un peu plus loin, il ajoute :

Si le Symbole semble bien être la plus haute expression de la
poésie, son emploi ne va pas sans certains inconvénients. En
pratique, tout symbolisme comporte une certaine obscurité
inévitable. Un poème ainsi conçu, quelles que soient les pré-

cautions qu'on prenne pour le rendre accessible, n'est jamais
d'un accès immédiatement facile. La raison en est qu'il porte
son sens en lui, non pas d'une façon apparente, mais d'une
manière secrète, de même que l'arbre porte en sa graine le
fruit qui en naîtra. Un symbole est, en effet, une comparaison
et une identité de l'abstrait au concret, comparaison dont l'un
des termes reste sous-entendu. Il y a là un rapport qui n'est
que suggéré et dont il faut rétablir la liaison.

◆ M. Maeterlinck, « Réponse à une enquête » (cité dans J. Muret,
Enquête sur l'évolution littéraire, pp. 124-127, Fasquelle).

— Oui, disait Maeterlinck, je crois qu'il y a deux sortes de
symboles : l'un qu'on pourrait appeler le symbole *a priori;* le
symbole de *propos délibéré;* il part d'abstraction et tâche de
revêtir d'humanité ces abstractions. Le prototype de cette symbolique, qui touche de bien près à l'allégorie, se trouverait
dans le *Second Faust* et dans certains contes de Goethe, son
fameux *Mährchen aller Mährchen,* par exemple. L'autre
espèce de symbole serait plutôt inconscient, aurait lieu à
l'insu du poète, souvent malgré lui, et irait, presque toujours,
bien au-delà de sa pensée : c'est le symbole qui naît de toute
création géniale d'humanité; le prototype de cette symbolique
se trouverait dans Eschyle, Shakespeare, etc.
Je ne crois pas que l'œuvre puisse naître viablement du symbole; mais le symbole naît toujours de l'œuvre si celle-ci est
viable. L'œuvre née du symbole ne peut être qu'une allégorie,
et c'est pourquoi l'esprit latin, ami de l'ordre et de la certitude,
me semble plus enclin à l'allégorie qu'au symbole. Le symbole
est une force de la nature, et l'esprit de l'homme ne peut résister à ses lois. Tout ce que peut faire le poète, c'est se mettre,
par rapport au symbole, dans la position du charpentier
d'Emerson. Le charpentier, n'est-ce pas ? s'il doit dégrossir
une poutre, ne la place pas au-dessus de sa tête, mais sous
ses pieds, et ainsi, à chaque coup de hache qu'il donne, ce
n'est plus lui seul qui travaille, ses forces musculaires sont
insignifiantes, mais c'est la terre entière qui travaille avec lui;
en se mettant dans la position qu'il a prise, il appelle à son
secours toute la force de gravitation de notre planète, et l'univers approuve et multiplie le moindre mouvement de ses
muscles.
Il en est de même du poète, voyez-vous; il est plus ou moins
puissant, non pas en raison de ce qu'il fait lui-même, mais
en raison de ce qu'il parvient à faire exécuter par les autres,
et par l'ordre mystérieux et éternel et la force occulte des
choses! Il doit se mettre dans la position où l'Eternité appuie
ses paroles, et chaque mouvement de sa pensée doit être
approuvé et multiplié par la force de gravitation de la pensée

unique et éternelle ! Le poète doit, me semble-t-il, être passif
dans le symbole, et le symbole le plus pur est peut-être celui
qui a lieu à son insu et même à l'encontre de ses intentions :
le symbole serait la fleur de la vitalité du poème : et, à un
autre point de vue, la qualité du symbole deviendrait la contre-
épreuve de la puissance et de la vitalité du poème. Si le symbole est très haut, c'est que l'œuvre est très humaine. C'est
à peu près ce que nous disions cette après-midi, s'il n'y a pas
de symbole, il n'y a pas d'œuvre d'art.

Mais si le poète part du symbole pour arriver à l'œuvre, il est
semblable au charpentier qui équarrit une poutre placée
au-dessus de sa tête, et il a à vaincre toute la force de gravitation de son poème. Il navigue contre vents et contre marée.
Il n'est plus entraîné bien au-delà de ses pensées par la force,
les passions et la vie de ses créations, mais il est en guerre
ouverte avec elles ; car le symbole qui émane de la vie de
tout être bien est plus haut et plus impénétrable que le plus
merveilleux symbole préconçu, et la simple vie des êtres
contient des vérités mille fois plus profondes que toutes celles
que peuvent concevoir nos plus hautes pensées.

Si je parviens à créer des êtres humains, et si je les laisse agir
en mon âme aussi librement, et aussi naturellement qu'ils
agiraient dans l'univers, il se peut que leurs actions contre-
disent absolument la vérité primitive qui était en moi et dont
je les croyais fils ; et cependant je suis sûr qu'ils ont raison
contre cette vérité provisoire et contre moi, et que leur contra-
diction est la fille mystérieuse d'une vérité plus profonde et
plus essentielle. Et c'est pourquoi mon devoir et alors de me
taire, d'écouter ces messagers d'une vie que je ne comprends
pas encore, et de m'incliner humblement devant eux.

A un point de vue plus restreint, il en serait de même des
images qui sont les assises en quelque sorte madréporiques sur
lesquelles s'élèvent les îles du symbole. Une image peut faire
dévier ma pensée : si cette image est exacte et douée d'une
vie organique elle obéit aux lois de l'Univers bien plus strictement que ma pensée ; et c'est pourquoi je suis convaincu
qu'elle aura presque toujours raison contre ma pensée abstraite ; si je l'écoute, c'est l'univers et l'ordre éternel des choses
qui pensent à ma place, et j'irai sans fatigue au-delà de moi-
même ; si je lui résiste, on peut dire que je me débats contre
Dieu...

3.2. DE LA LUCIDITÉ À L'ARTIFICIEL

On se reportera à la *Prose pour Des Esseintes* (p. 55), et l'on
étudiera ce texte de Jacques Rivières, « le Roman d'aventure », extrait des *Nouvelles Etudes* (pp. 236-244, Gallimard).

Le symbolisme n'est pas — comme lui-même d'abord eut la naïveté de le donner à croire — un art de décadence, un fruit paradoxal et pourri, produit par une sève presque épuisée. La preuve en est que nous lui avons survécu, et sans qu'il y ait eu besoin de révolution, ni d'invasion barbare. Mais il est incontestable que c'est un art d'extrême conscience, l'art des gens qui savent terriblement ce qu'ils pensent, ce qu'ils veulent, ce qu'ils font. Ce n'est pas par hasard qu'il s'est développé d'abord, et presque exclusivement chez nous. Il ne pouvait naître que dans une race que la longue habitude de l'examen intérieur avait rendue experte à se deviner, à se surprendre. Il lui fallait, pour fleurir, une société de gens bien éveillés sur eux-mêmes et prompts à dépister le sens et les intentions du moindre de leurs sentiments. Seule, la France, grâce à son immense passé de psychologie, lui offrait un terrain favorable. Comment imaginer un Mallarmé qui n'eût pas été Français ? Nous allons voir que tous les caractères de l'œuvre symboliste peuvent se déduire de ce principe : un esprit qui voit tout, une intelligence qui va tout de suite jusqu'au bout, qui ne trouve pas de résistance dans les choses qu'elle invente, mais qui coule aussitôt au travers et qui, du premier coup, tant elle est fluide, insinuante et perspicace, atteint l'extrémité de son sujet. Tout dans l'œuvre symboliste porte la marque d'un créateur trop conscient.

D'abord le sujet même qu'elle se propose. — Ce n'est jamais un événement, une histoire, ni même la description d'une âme, la peinture d'un être vivant. C'est toujours une émotion, — une émotion abstraite, toute pure, sans causes ni racines, une impression détachée de son origine. Ce que l'auteur entreprend de fixer, c'est sa réaction sentimentale en face d'un objet ou d'un spectacle qui restent inconnus.

Sans doute il commence bien par imaginer une histoire, mais il n'a pas le temps de la raconter ; car elle ne réussit pas à arrêter son esprit ; elle ne s'impose pas à lui ; elle lui est tout de suite transparente ; déjà il l'a traversée ; il ne peut pas s'empêcher de voir tout de suite en quoi elle est intéressante, quel en est le sens, quel effet elle va produire. Il ne s'agit pas de l'effet pittoresque (s'il le cherchait, il serait romantique, non pas symboliste), mais de l'effet sur l'âme. Prenant la place de son lecteur, l'écrivain vibre lui-même à l'avance au contact de l'œuvre qu'il n'a pas encore écrite ; il frémit, il est touché comme un métal qui rend d'emblée le son qu'on voulait obtenir avec sa profonde habitude des sentiments, tout de suite il sait éprouver celui entre tous — si délicat soit-il — que son récit irait émouvoir.

Dès lors il ne voit plus de raisons pour faire ce récit ; il l'a derrière lui ; puisqu'il est venu jusqu'ici tout seul, les autres y viendront bien tout seuls aussi ; à quoi bon leur dire ce qu'ils sont capables de trouver ? Il compte sur des lecteurs aussi adroits et aussi prompts que lui-même et ne veut pas leur rendre des services dont ils peuvent se passer.

D'ailleurs « il n'est plus en mains » pour écrire son histoire ; il ne sait plus comment la prendre ; il la voit à l'envers maintenant ; au lieu qu'elle s'élève devant son imagination comme une montagne à franchir, elle est quelque chose de passé sur quoi il faut revenir. Aussi préfère-t-il l'abandonner définitivement et renoncer à tout récit. Au fond il n'est vraiment à son affaire que quand il a dépassé ce qu'il avait à dire, qu'au moment où il n'y a plus devant lui, à la place de son œuvre, que la fuite de toutes parts des ondes qu'elle engendre.

C'est pourquoi la façon dont se forme l'œuvre symboliste est si anormale. Pendant le temps qu'elle est portée par le cerveau de son auteur, loin de se nourrir et de se développer, elle se réduit, elle se tasse, elle s'éclaircit. De délicates lignes destructrices la traversent en tous sens, l'analysent, la décomposent ; comme le feu suit sans erreur la charpente d'une maison et la consume jusque dans les murs, ainsi l'intelligence de l'auteur dissout dans son sujet tout ce qui en forme le support et l'assise. C'est un travail critique, plutôt que créateur, qu'elle accomplit. Ce poète qui tout à l'heure nous présentera son œuvre comme le balbutiement d'un primitif et l'expression des plus secrètes profondeurs de l'inconscient, au fond il n'en aura obtenu l'incertaine étrangeté qu'en laissant agir ses facultés de discernement et de pénétration. Dans son esprit, l'œuvre est soumise non pas aux inspirations confuses d'un génie naïf et ignorant, mais à toutes les forces dissolvantes, à tous les acides de la pensée. Ils l'attaquent, ils la rongent, ils l'évident peu à peu, en en enlevant tous les éléments matériels, tout ce qui, énoncé, serait perceptible aux sens ; à la fin il ne reste plus qu'une sorte de parfum, d'esprit, quelque chose d'insaisissable à la vue et au toucher et que l'âme seule peut distinguer et recueillir. En d'autres termes l'œuvre symboliste est une œuvre dont plus de la moitié se passe dans l'esprit de son auteur. Au lieu que celui-ci cherche à produire hors de lui le plus de réalité possible, il tâche au contraire d'en consommer le plus possible en lui-même. Il s'arrange pour faire arriver le plus possible d'événements avant le moment où il prendra la plume ; il leur offre sa pensée comme un théâtre idéal où ils puissent s'accomplir sans paraître et il établit, comme un avant-propos invisible à son œuvre, un long silence où dorment ensevelis tout fait et toute aventure.

Préparation négative, opération chimique plutôt que physiologique, expériences internes qui aboutissent à isoler l'essentiel, à l'obtenir pur et instable, comme ces composés dont les éléments précieux, faute d'une gangue qui les réunisse en les noyant, ne tiennent ensemble que par un fragile miracle.

L'œuvre symboliste a pour sujet des émotions. Ces émotions conservent, même transcrites, leur qualité de sentiments. Elles ne sont pas distinguées, cernées, ordonnées, classées par l'intelligence ; elles restent dans une vague et multiple agitation ; elles continuent à fuir dans tous les sens. De là un second caractère de l'œuvre symboliste : elle a une composition par rayonnement et, si l'on peut dire, par effusion. Toutes ses parties sont simultanées ; elles s'en vont toutes d'un même point idéal, comme se détachent d'un orchestre des bouffées de musique que le vent cueille et disperse ; le lien qu'elles ont entre elles leur vient de leur origine plutôt que de leur fin ; c'est une ressemblance, un même air de visage qu'elles portent en s'éloignant les unes des autres ; elles montent ensemble comme des oiseaux chassés d'un buisson.

C'est la seule façon dont elles soient unies. Pas de charpente, pas d'armature. Il n'en est aucune jamais qui en prépare une autre, qui lui serve de point d'appui ou d'amorce, aucune jamais qui soit à moitié prise en une autre ; elles ne sont pas les poutres d'un même édifice. Et l'œuvre n'est pas un édifice, mais un jardin épanouissant à la fois au hasard tous ses parterres odorants et confus. En passant de l'un à l'autre, rien n'avertit d'une différence de niveau ; pas la moindre secousse ; pas le moindre petit mouvement de montée ou de descente ; aucune sensation ni d'accès, ni de glissement. Il n'y a rien d'invisible entre les diverses parties de l'œuvre ; elles n'expriment rien de plus par leur groupement que le total de ce qui est contenu en chacune.

C'est pourquoi elles doivent être toutes également intéressantes. Comme elle ne reçoit rien des autres, chacune ne peut compter, pour attacher le lecteur, que sur elle-même ; il faut qu'elle s'emplisse, pour être prête à la verser, quand viendra son tour, d'autant d'émotion que n'importe laquelle de ses voisines. De là une certaine égalité intérieure de toute l'œuvre ; non pas un paroxysme continuel ; mais on sent que l'auteur dépense à chaque fois toute sa richesse ; il va jusqu'au bout à chaque fois ; il s'applique à une douce et continuelle plénitude ; il gonfle complètement de son souffle l'enveloppe de chaque vers, de chaque phrase ; il pense qu'il n'a pas le droit de jamais faire moins touchant ni moins harmonieux qu'il n'a fait jusque-là. — Et il ne l'a pas en effet, si l'on accepte sa conception de l'œuvre d'art. Il n'y a de positif pour lui que le maximum. Son œuvre est une chaîne de fruits bien formés et tous égaux sur la branche ; nous les cueillons tour à tour et il ne faut pas que la saveur des uns nous fasse jamais regretter celle des autres. A cet égard il n'y a pas de type plus parfait de l'œuvre symboliste que *l'Après-midi d'un Faune* de Mallarmé :

> *O Nymphes, regonflons des* SOUVENIRS *divers.*

Le poème entier n'est fait que de l'éclosion éparse, mais partout aussi pleine, de toutes ces bulles qui s'échappent du pipeau rustique et se dissolvent dans la chaude atmosphère.

L'œuvre symboliste ayant pour sujet des émotions et la façon dont en nous retentit la réalité, le choix des mots y est d'une extrême importance. C'est là le troisième des caractères qui la distinguent. L'écrivain se propose de rendre sensible non pas une chose, mais l'ébranlement qu'elle communique à notre âme ; il choisit donc ses mots non seulement d'après leur sens, mais encore d'après leur pouvoir émotif. Un mot peut toujours exprimer plus qu'il ne signifie ; il a une histoire ; je ne veux pas dire simplement une étymologie ; il a un passé ; il a vécu dans des œuvres diverses et il y a subi des voisinages ; il a eu des aventures, il a fait des rencontres ; il a été aidé, appuyé par d'autres mots ou bien c'est lui qui est venu à leur secours et qui les a soutenus ; et de toutes ces anciennes compagnies, il garde autour de lui comme un nimbe de confus souvenirs ; mille fantômes l'entourent que l'on n'arrive pas tout à fait à reconnaître et qui lui font une escorte vague et mystérieuse. Aussi, quand il sert à fixer une émotion, ne suffit-il pas, pour qu'il soit juste, que son sens soit approprié ; il faut encore que ses harmoniques soient en accord avec le sentiment que l'écrivain veut suggérer ; il faut que les images indistinctes qu'il répand autour de lui correspondent à la disposition d'âme où le lecteur doit être mis. C'est pourquoi les mots dont se compose une œuvre symboliste sont toujours si délicatement choisis ; on ne peut pas s'empêcher de remarquer chacun ; sa propriété nous donne une légère secousse ; elle intéresse autre chose en nous que l'intelligence, elle nous frappe, elle nous atteint, elle touche notre cœur, elle se fait connaître par nos sentiments. Chaque mot trouve en nous des échos tout préparés et qui le ralentissent ; nous avons le temps de le sentir passer comme un souffle de vent bien accordé au feuillage de nos souvenirs. Il arrive même que, s'il est très bien choisi, il se substitue pour ainsi dire à son sens ; il se met devant lui ; par une certaine façon qu'il a de se présenter, il nous ôte l'envie de penser à son contenu abstrait. Notre cœur le reçoit si justement que notre esprit se trouve dispensé de le comprendre et d'apercevoir son rapport logique avec les autres mots de la phrase. Ainsi, de même que les parties de l'œuvre demandent à être goûtées isolément, de même les mots. Il faut les laisser venir à soi :

> *La mer dont le sanglot faisait mon roulis doux*
> *Montait vers moi ses fleurs d'ombre aux ventouses jaunes.*

Il faut les accueillir tous ensemble, égaux, et détachés, et simplement tourner vers eux une âme unie, sensible et passive.

Le dernier caractère de l'œuvre symboliste résulte de tous ceux que nous venons d'énumérer. C'est une œuvre subjective.

4. UNE ALCHIMIE DU LANGAGE

◆ A. de Vigny, *la Beauté idéale.*

« Où donc est la beauté que rêve le poëte ?
Aucun d'entre les arts n'est son digne interprète,
Et souvent il voudrait, par son rêve égaré,
Confondre ce que Dieu pour l'homme a séparé.
Il voudrait ajouter les sons à la peinture.
A son gré si la Muse imitait la nature,
Les formes, la pensée et tous les bruits épars
Viendraient se rencontrer dans le prisme des arts,
Centre où de l'univers les beautés réunies
Apporteraient au cœur toutes les harmonies,
Les bruits et les couleurs de la terre et des cieux,
Le charme de l'oreille et le charme des yeux.
Descends donc, triple lyre, instrument inconnu,
O toi ! qui parmi nous n'es pas encor venu
Et qu'en se consumant invoque le génie.
Sans toi point de beauté, sans toi point d'harmonie :
Musique, poésie, art pur de Raphaël,
Vous deviendrez un Dieu... mais sur un seul autel. »

◆ P. Verlaine, *Art poétique.*

De la musique avant toute chose,
Et pour cela préfère l'Impair
Plus vague et plus soluble dans l'air,
Sans rien en lui qui pèse ou qui pose.

Il faut aussi que tu n'ailles point
Choisir tes mots sans quelque méprise :
Rien de plus cher que la chanson grise
Où l'Indécis au Précis se joint.

C'est des beaux yeux derrière des voiles,
C'est le grand jour tremblant de midi,
C'est par un ciel d'automne attiédi,
Le bleu fouillis des claires étoiles !

Car nous voulons la Nuance encor,
Pas la Couleur, rien que la Nuance !
Oh ! la Nuance seule fiance
Le rêve au rêve et la flûte au cor !

Fuis du plus loin la Pointe assassine,
L'Esprit cruel et le Rire impur,
Qui font pleurer les yeux de l'Azur,
Et tout cet ail de basse cuisine!

Prends l'éloquence et tords-lui son cou!
Tu feras bien, en train d'énergie,
De rendre un peu la rime assagie :
Si l'on n'y veille, elle ira jusqu'où?

O qui dira les torts de la Rime!
Quel enfant sourd ou quel nègre fou
Nous a forgé ce bijou d'un sou
Qui sonne creux et faux sous la lime?

De la musique encore et toujours!
Que ton vers soit la chose envolée
Qu'on sent qui fuit d'une âme en allée
Vers d'autres cieux à d'autres amours.

Que ton vers soit la bonne aventure
Eparse au vent crispé du matin
Qui va fleurant la menthe et le thym...
Et tout le reste est littérature.

JUGEMENTS SUR MALLARMÉ

« Les Poèmes de M. Mallarmé n'ont pas seulement cette musique qui résulte des variations du rythme et de l'agencement des mots. Ils sont encore comme l'harmonieux écho d'une âme magnifique de poète : c'est par là qu'ils nous touchent le plus, c'est par là qu'ils ont pris tant d'empire, depuis dix ans, sur les jeunes générations. Pour nous tous, qui avons eu le bonheur de l'approcher, M. Mallarmé restera toujours la parfaite incarnation du Poète idéal. »

T. de Wyzewa,
le Figaro, à propos de la publication de *Vers et Prose* (1893).

*Une citation d'*Hérodiade *en tête d'une lettre de P. Louÿs révéla à Valéry, âgé de dix-neuf ans, la poésie de Mallarmé, et, quarante ans plus tard, voici comment Valéry évoque ce choc.*

Je connus la surprise, le scandale intime, instantané, et l'éblouissement, et la rupture de mes attaches avec mes idoles de cet âge. Je me sentis devenir comme fanatique ; j'éprouvais la progression foudroyante d'une conquête spirituelle décisive... Des fragments que l'on découvrait dans des revues, que l'on se passait, et qui unissaient entre eux se les transmettant des adeptes dispersés sur la France, comme les antiques initiés s'unissaient à distance par l'échange des tablettes et de lamelles d'or battu, nous constituaient un trésor de délices incorruptibles, bien défendu par soi-même contre le barbare et l'impie.

P. Valéry,
Préface au *Mallarmé* de J. Royère (1937).

Mallarmé le stérile ; Mallarmé le précieux ; Mallarmé le très obscur ; mais Mallarmé le plus conscient ; Mallarmé le plus parfait ; Mallarmé le plus dur à soi-même de tous ceux qui ont tenu la plume, me prouvait, dès les premiers regards que j'adressais aux lettres, comme une idée en quelque sorte suprême, une idée-limite ou une idée-source de leur valeur et de leurs pouvoirs.

P. Valéry,
Variété II, p. 230 (1929).

L'admiration de Valéry pour Mallarmé ne faiblit jamais et, quand il parle du poète et de la poésie en général, on sent qu'il se réfère à lui-même, ce qui est se référer à Mallarmé et à l'œuvre de celui-ci, puisqu'il tient de lui la « conquête spirituelle définitive ».

La poésie se rapporte sans aucun doute à quelque état des hommes antérieur à l'écriture et à la critique. Je trouve donc un homme très ancien en tout poète véritable : il boit encore aux sources du langage ; il invente des « vers » — à peu près comme les primitifs les mieux doués devaient créer des « mots », ou des ancêtres de mots.

P. Valéry,
Variété III, p. 19 (1936).

Dans le poète : l'oreille parle, la bouche écoute ; c'est l'intelligence, l'éveil, qui enfante et rêve ; c'est le sommeil qui voit clair ; c'est l'image et le phantasme qui regardent ; c'est le manque et la lacune qui créent.

P. Valéry,
Tel quel, p. 142 (1941).

Un poème n'est jamais achevé — c'est toujours un accident qui le termine, c'est-à-dire qui le donne au public. Ce sont la lassitude, la demande de l'éditeur — la pensée d'un autre poème... Je conçois, quant à moi, que le même sujet et presque les mêmes mots pourraient être repris indéfiniment et occuper toute une vie. « Perfection », c'est travail.

P. Valéry,
Tel quel, p. 154 (1941).

Dans la poésie pure de Mallarmé, l'initiative est cédée aux mots, comme dans la mystique du pur amour, l'initiative est laissée à Dieu. Au principe du poème il y a bien un schéma, un ton émotif, un vide réceptif, une disponibilité, comme au principe du pur amour il y a toujours l'individu. Sur ce schéma, pour le faire passer à l'être, agissent l'incantation et la magie transfiguratrice des mots que le poète convoque, et à l'opération de qui il s'abandonne.

A. Thibaudet,
Histoire de la littérature française de 1789 à nos jours, p. 480 (1936).

Pour Mallarmé c'est dans l'au-delà que doit se ressaisir l'en deçà, il faut savoir se perdre pour mieux se retrouver.

Jean-Pierre Richard,
l'Univers imaginaire de Mallarmé, p. 114 (1962).

SUJETS DE DEVOIRS

● On est frappé, quand on compare les symbolistes aux parnassiens, de la diversité des poétiques, des styles, des thèmes, qui règne dans l'ensemble de la production des premiers, et de l'unité de style qui donne aux poèmes des moindres parnassiens de faux airs de pastiches de Leconte de Lisle. Quelle est la raison de cette opposition foncière entre les deux écoles ? Ne pourrait-on pas la découvrir dans cette réflexion de Mallarmé : « Toute âme est une mélodie qu'il s'agit de renouer, et pour cela sont la flûte et la viole de chacun. »

● Expliquez ce texte de la *Genèse du Poème* d'Edgar Poe, traduit par Baudelaire, en montrant qu'il a eu directement ou indirectement une influence énorme sur le renouvellement des poétiques de la fin du xixᵉ siècle et du xxᵉ siècle en France, puis dans le monde entier :

« Beaucoup d'écrivains, particulièrement les poètes, aiment mieux laisser entendre qu'ils composent grâce à une espèce de frénésie subtile, ou d'intuition extatique, et ils auraient positivement le frisson s'il leur fallait autoriser le public à jeter un coup d'œil derrière la scène, et à contempler les laborieux et indécis embryons de pensée, la vraie décision prise au dernier moment, l'idée si souvent entrevue comme dans un éclair et refusant de se laisser voir en pleine lumière, la pensée pleinement mûrie et rejetée de désespoir comme étant d'une nature intraitable, le choix prudent et les rebuts, les douloureuses ratures et les interpolations, — en un mot les rouages et les chaînes, les trucs pour les changements de décor, les échelles et les trappes, — les plumes de coq, le rouge, les mouches et tout le maquillage qui, dans quatre-vingt-dix-neuf cas sur cent, constituent l'apanage et le naturel de l'*histrion littéraire*... » Henri Mondor n'a-t-il pas raison d'écrire dans sa *Vie de Mallarmé :* « Relire la *Genèse du poème* de Poe, c'est remonter à la source d'une poésie dont Baudelaire, Mallarmé et Valéry ont donné les chefs-d'œuvre » ?

● « Le XIXᵉ siècle, avec Chateaubriand, a débuté par la poésie de la religion. Il se clôt avec Mallarmé et ses disciples par une religion de la poésie. » Expliquez et discutez ce jugement d'Albert Thibaudet.

● De quel rêve et de quelle musique veut parler Alfred Poizat quand il dit : « Le Symbolisme, ce fut surtout l'entrée du rêve dans la littérature, ce fut le retournement du regard du dehors au dedans, la contemplation du reflet des choses en nous comme en une eau endormie, notre oreille tendue à des musiques singulières qui montaient de nous et dont les rythmes ne ressemblaient guère aux rythmes accoutumés des Parnassiens. »

● En tirant vos exemples du mouvement poétique issu des *Fleurs du mal*, commentez cette remarque faite par Marcel Raymond dans son livre *De Baudelaire au surréalisme* : « La poésie n'est pas seulement la quintessence de la littérature, elle est en premier lieu une manière, qui peut être cultivée, mais qui est d'abord spontanée, de vivre, d'exister. »

Sur Mallarmé.

● Le drame de Mallarmé n'est-il pas dû à la coexistence dans un même homme d'un penseur pur et d'un artiste pur, et son art n'a-t-il pas été, suivant l'expression de Daniel Boulay, « la dramatique oscillation entre l'extrême de l'Idée pure et l'extrême du pur Senti » ?

● « Je donnerais les Vêpres magnifiques du Rêve et leur or vierge, pour un quatrain, destiné à une tombe ou à un bonbon, qui fût *réussi*. » Expliquez et discutez cette déclaration faite par Mallarmé dans une lettre à Coppée datant de l'année 1868.

● Étudiez les éléments modernes et journalistiques qui contribuent à donner à un poème en prose une atmosphère différente de celle d'un poème en vers. Prenez pour exemple soit *la Pipe*, soit *Plainte d'automne*.

● « La Poésie est l'expression, par le langage humain ramené à son rythme essentiel, du sens mystérieux de l'existence : elle doue ainsi d'authenticité notre séjour et constitue la seule tâche spirituelle. » Cette réponse faite par Mallarmé à Leo d'Orfer en 1894 n'explique-t-elle pas l'orientation de la vie et de l'œuvre de l'auteur d'*Hérodiade* ?

● A Degas, qui s'était mis en tête de faire des vers et qui se plaignait d'avoir perdu toute une journée sur un sonnet en ajoutant : « Et cependant ce ne sont pas les idées qui me manquent... J'en suis plein », Mallarmé réplique : « Ce n'est point avec des idées qu'on fait des sonnets, Degas, c'est avec des mots. » Est-ce une boutade, ou est-ce toute une poétique ?

● Les avertissements n'ont pas manqué à Mallarmé lorsqu'il s'engagea sur le chemin de la poésie difficile. En 1864, son ami Henri Cazalis lui écrit, après avoir lu le sonnet *Angoisse* : « Prends garde : tu as pris l'habitude de périodes beaucoup trop longues ; trop de phrases incidentes qui s'accrochent l'une à l'autre, et font des broussailles obscures, épaisses, tellement enchevêtrées que l'on a peine à avancer et que bientôt l'on demande grâce. Vacquerie te l'a fait remarquer ce me semble, et Renaud, qui t'admire comme je le fais moi-même, m'a dit qu'il t'en parlerait aussi. Crois bien, mon bon Stéphane, que si je te fais ces observations, moi qui suis, tu le sais, enthousiaste de tes vers, c'est qu'elles sont vraiment importantes et justes. » Quelles sont, selon vous, les raisons qui ont poussé Mallarmé à rester fidèle à l'art qu'il avait créé, et cela en dépit d'objurgations aussi pathétiques ?

● Comparez les deux états du sonnet *Toujours plus souriant...*, p. 67, séparés par deux ans (1885-1887). Le second état est-il supérieur au premier ? En quoi ? Peut-on, dans les changements opérés, voir le signe d'une évolution de la pensée et de l'art du poète ?

● Comparez les deux états du sonnet *La nuit approbatrice...*, p. 48, séparés par dix-neuf ans (1868-1887). Quelles sont les raisons qui ont amené l'auteur à modifier les dispositions des rimes dans les deux tercets ? Est-ce pour accroître l'impression de *sonnet nul* que Mallarmé a remplacé *noir* par *vide, insolite* par *aboli, rêve* par *Néant* ? L'effet que produit sur vous ce sonnet est-il différent suivant que vous lisez le premier ou le second état ?

● « Si j'ai l'heur, en finissant, de faire oublier les précédents devoirs de collégiens parus sous mon nom, on aura l'impression d'un Monsieur ressemblant à tous les autres et qui reste stupéfait de s'être miré, par exemple, dans une source. » (Lettre de Mallarmé à Octave Mirbeau, 5 avril 1892.) Expliquez et commentez cette confidence faite par le poète quinquagénaire, qui estime n'avoir encore rien fait, mais qui garde un espoir tenace.

● « Mais ratés, nous le sommes tous, Mauclair!... Que pouvons-nous être d'autre, puisque nous mesurons notre fini à un infini? Nous mettons notre courte vie, nos faibles forces en balance avec un idéal qui, par définition, ne saurait être atteint. Nous sommes des ratés prédestinés [...]. Je crois même qu'à ce point de vue, j'ai plus droit que quiconque à l'épithète, droit proportionnel à ce que j'ai osé, insolitement, entreprendre. » Camille Mauclair, qui nous rapporte cette réplique, se l'était attirée, dit-il, parce qu'il avait dit à son Maître combien l'avait indigné la lecture d'un article où Villiers de L'Isle-Adam était traité de *raté*. Commentez ce passage, ainsi que la conclusion suivante que Mallarmé ajoute, et montrez que cette confidence explique la vie héroïque et l'apparente faillite littéraire de Mallarmé : « La récompense est d'être précisément sur le plan supérieur un raté, c'est-à-dire un homme qui, dédaignant l'avantage immédiat et facile, s'est mesuré d'emblée avec ce qui nous domine et nous dépasse de toute part. Tel est, du moins, mon credo peut-être désespéré mais qui me fait vivre [...]. Allons, Mauclair, quoi que la vie nous réserve, ne craignez rien et n'enviez jamais les réussis. »

● Jean-Paul Sartre considère Mallarmé comme « le plus grand » des poètes. Voyez-vous pour quelles raisons le philosophe de l'existentialisme place si haut l'auteur d'*Hérodiade*?

● Expliquez et discutez ce jugement d'Albert Béguin : « Le « rêve » mallarméen est cet univers des essences, qui séduit irrésistiblement le poète et qui s'oppose à la vie méprisée. Dans cette étrange mystique, la vision spirituelle, favorisée par un savant emploi irrégulier du langage, sollicite le dévouement entier de l'existence éphémère. »

● N'y a-t-il pas un petit art poétique dans le quatorzain *Toute l'âme résumée...*? Dégagez-le en faisant le commentaire de ce texte. (Cf. p. 101.)

● Répliquant à une attaque de J.-M. Bernard *Contre Mallarmé*, dont Léon Bocquet avait rendu compte dans le n° 1 de la *Nouvelle Revue française*, André Gide écrivait dans le n° 2 (février 1909) : « Pour peu que Bernard-Bocquet soit soucieux d'ajouter à sa franchise un peu d'inquiétude, il comprendra qu'on ne se débarrasse pas d'un tel poète simplement en ne le comprenant pas. » Expliquez et discutez ce jugement.

● « Entre Mallarmé sorcier de l'expression et Mallarmé méta-physicien de l' « absolu », semblent aujourd'hui s'être créés une distance, un hiatus, que l'effort immédiat de la lecture parvient assez mal à réparer. » Si vous avez fait un choix entre ces deux aspects de l'œuvre de Mallarmé distingués par J.-P. Richard, exposez les raisons qui vous y ont amené. Sinon, pouvez-vous tenter de concilier en une synthèse, semblable à celle que fit pour lui le poète, la thèse de la spéculation idéaliste avec l'anti-thèse de la forme incantatoire, fruit du hasard ?

● « Mallarmé pâtit, du moins le croyons-nous, de toute approche trop abstraite. Considérée naïvement, cette œuvre nous semble beaucoup plus charnelle, d'intentions et de moyens, qu'on ne le dit à l'ordinaire. La première vertu mallarméenne n'est-elle pas d'ailleurs l'ingénuité ? » Commentez ce jugement de J.-P. Richard.

SUR QUELQUES « MARDISTES ».

● Doit-on approuver ceux qui reprochaient à certains symbolistes français d'être de naissance grecque, belge ou américaine ? Le symbolisme n'a-t-il pas dépassé toutes les écoles nationales ?

● Quelle fut l'attitude des disciples de Mallarmé à l'égard de leur maître ? Quelle influence celui-ci a-t-il pu exercer sur eux ?

● En étudiant et en comparant le vers libre de Régnier et celui de Vielé-Griffin, expliquez et discutez ce jugement d'Albert Thibaudet : « Si Régnier a traversé le vers libre en hôte courtois, Vielé-Griffin l'a absolument habité, en a guidé et suivi la fortune. »

● Jules Laforgue s'est défini lui-même « un être purement endolori [...] et artiste de lui-même. » Montrez que ce jugement correspond bien à l'œuvre qu'il a laissée.

● D'après ce que nous a laissé Jules Laforgue, mort à vingt-sept ans, ne peut-on pas penser que, s'il avait vécu quelques années de plus, il aurait sans doute été le plus grand d'entre les jeunes poètes symbolistes de l'école de 1885 ?

● « La plus étonnante machine technique de cet âge militant du symbolisme, c'est l'œuvre de René Ghil, qui prétendit mettre, ou plutôt instrumenter en vers libres rocailleusement scolaires, l'évolution du monde et de l'humanité. » Expliquez et discutez ce jugement d'Albert Thibaudet sur le créateur de l'instrumentation verbale.

● Remy de Gourmont regrettait le revirement de Jean Moréas : « Il y a, disait-il, de bien belles choses dans ce *Pèlerin*, il y en a de belles dans *les Syrtes*, il y en a d'admirables ou de délicieuses et que (pour ma part) je relirai toujours avec joie, dans *les Canti-lènes* ; mais puisque M. Moréas, ayant changé de manière, répudie ces primitives œuvres, je n'insisterai pas. » Quel fut le rôle de Moréas dans la naissance du symbolisme et comment peut s'expliquer, selon vous, son évolution si rapide ?

● Verhaeren a dit de Georges Rodenbach : « Il prendrait rang parmi ceux dont la tristesse, la douceur, le sentiment subtil et le talent nourri de souvenirs, de tendresse, de silence, tressent une couronne de violettes pâles au front de la Flandre : Maeterlinck, Van Lerberghe, Grégoire Le Roy, Elskamp. Mais il paraît plus juste de ne point l'isoler dans un groupe, de ne point le détacher de la grande littérature française. L'art n'est point d'une région ; il est du monde [...]. Or, dans l'universelle littérature française, Georges Rodenbach se classe parmi les poètes du rêve, parmi les raffinés de la phrase [...]. Il est de ceux qui suggèrent, à l'encontre de ceux qui constatent [...]. Il a mis des sourdines à ses vers et à ses pensées. »

TABLE DES MATIÈRES

Mame Imprimeurs - 37000 Tours.
Dépôt légal Juin 1965. — Nº 12327. — Nº de série Éditeur 13380.
IMPRIMÉ EN FRANCE *(Printed in France)*. — 870 081 E Mai 1986.

un dictionnaire de la langue française pour chaque niveau :

NOUVEAU DICTIONNAIRE DU FRANÇAIS CONTEMPORAIN ILLUSTRÉ
sous la direction de Jean Dubois

• 33 000 mots : enrichi et actualisé, tout le vocabulaire qui entre dans l'usage écrit et parlé de la langue courante et que les élèves doivent savoir utiliser à l'issue de la scolarité obligatoire.
• 1 062 illustrations : un apport descriptif complémentaire des définitions et qui permet l'introduction de termes plus spécialisés n'appartenant pas au vocabulaire courant ou ne nécessitant pas d'explication autre que celle de l'image.
• Un dictionnaire de phrases autant qu'un dictionnaire de mots, comme dans l'édition précédente, selon les mêmes principes de description du lexique et du fonctionnement de la langue.
• Le dictionnaire de la classe de français (90 tableaux de grammaire, 89 tableaux de conjugaison).

Un volume cartonné (14 × 19 cm), 1 296 pages.

LAROUSSE DE LA LANGUE FRANÇAISE lexis
sous la direction de Jean Dubois

Avec plus de 76 000 mots des vocabulaires courant, classique et littéraire, technique ou scientifique , c'est le plus riche des dictionnaires de la langue en un seul volume.
Par la diversité de ses informations sur les mots, par la construction raisonnée de ses articles et par son dictionnaire grammatical, c'est un instrument de pédagogie active : il s'adresse aussi à tous ceux qui veulent comprendre le fonctionnement de la langue et acquérir la maîtrise des moyens d'expression.

Nouvelle édition illustrée : un volume relié (15,5 × 23 cm), 2 126 pages dont 90 planches d'illustrations par thèmes.

GRAND LAROUSSE DE LA LANGUE FRANÇAISE
7 volumes sous la direction de L. Guilbert, R. Lagane et G. Niobey ; avec le concours de H. Bonnard, L. Casati, J.-P. Colin et A. Lerond

Un dictionnaire unique parce qu'il réunit :
• la description la plus complète du vocabulaire général, scientifique et technique, classique et littéraire, avec prononciation, syntaxe et remarques grammaticales, étymologie et datations, définitions avec exemples et citations, synonymes, contraires, etc. ;
• la documentation la plus riche sur la grammaire et la linguistique : près de 200 articles (à leur ordre alphabétique) donnant une analyse détaillée des diverses théories, passées ou actuelles, sur les principaux concepts grammaticaux et linguistiques ;
• un traité de lexicologie exposant les principes de la formation des mots et la construction des unités lexicales.

7 volumes reliés (21 × 27 cm).

dictionnaires pour l'étude du langage

une collection d'ouvrages reliés (13,5 × 20 cm) indispensables pour une connaissance approfondie de la langue française :

NOUVEAU DICTIONNAIRE ANALOGIQUE*
Par G. Niobey. Les différents termes capables d'exprimer une idée.

DICTIONNAIRE DE L'ANCIEN FRANÇAIS jusqu'au milieu du XIVe siècle*
Par A. J. Greimas. Indispensable aux étudiants et professeurs médiévistes, ainsi qu'aux lettrés.

DICTIONNAIRE DES DIFFICULTÉS DE LA LANGUE FRANÇAISE*
(couronné par l'Académie française), par Adolphe V. Thomas.

NOUVEAU DICTIONNAIRE ÉTYMOLOGIQUE*
Par A. Dauzat, J. Dubois et H. Mitterand. Près de 50 000 mots étudiés.

DICTIONNAIRE DU FRANÇAIS CLASSIQUE
Par J. Dubois, R. Lagane, A. Lerond.
Le vocabulaire des grands « classiques » du XVIIe siècle.

DICTIONNAIRE DE LINGUISTIQUE
Par J. Dubois, M. Giacomo, L. Guespin, Ch. et J.-B. Marcellesi et J.-P. Mével.
Le vocabulaire qu'il faut connaître pour aborder l'étude de la linguistique.

DICTIONNAIRE DES LOCUTIONS FRANÇAISES
Par M. Rat. Un inventaire des gallicismes et des mots d'auteur entrés dans la langue.

NOUVEAU DICTIONNAIRE DES MOTS CROISÉS*

DICTIONNAIRE DES NOMS DE FAMILLE et prénoms de France*
Par A. Dauzat. 30 000 noms : leur source étymologique, historique et géographique.

DICTIONNAIRE DE LA PRONONCIATION
Par A. Lerond. La prononciation réelle du français d'aujourd'hui.

DICTIONNAIRE DES PROVERBES, SENTENCES ET MAXIMES*
Par M. Maloux. Pittoresque, instructive, toute la « sagesse des nations ».

DICTIONNAIRE DES RIMES orales et écrites
Par L. Warnant. Par ordre d'entrée phonétique de la dernière syllabe tonique.

LAROUSSE DU SCRABBLE®* dictionnaire des jeux de lettres
Par M. Pialat.

NOUVEAU DICTIONNAIRE DES SYNONYMES*
Par E. Genouvrier, C. Désirat et T. Hordé. Le choix du mot le plus juste.

DICTIONNAIRE DES VERBES FRANÇAIS
Par J.-P. et J. Caput. Tous les renseignements nécessaires à leur utilisation totale et précise.

(*) Existe également en format de poche dans la collection « Dictionnaires de poche de la langue française ». Ainsi que : LAROUSSE DES CITATIONS FRANÇAISES.